ユーザーの「心の声」を聴く技術

ユーザー調査に潜む50の落とし穴とその対策

奥泉直子 著

技術評論社

はじめに

「ユーザー調査」と聞いてどんな調査を思い浮かべるでしょうか？

道で声をかけられてその場で記入するアンケートだったり、新商品を試食しておいしいだの、おいしくないだのと言い合う座談会だったり、刷新したＷｅｂサイトを言われるとおりに触ってみてここがわかりやすいとか、ここが使いにくいとか評価をするユーザーテストだったり、ぱっと思い浮かぶのはそんなところでしょうか。

いずれも広い意味ではユーザー調査にちがいありません。しかしときには、商品やサービスが存在すらしていない、もっと言うと具体的な構想すらない状態で実施する調査もあります。

社会生活を営む人びとが、どんな環境や文脈でどんな課題を抱えているかを突き止め、そこに最善の解決策を提供することを目指す、ものづくりの最初のステップとして実施するもの

それが、本書で言うユーザー調査です。

これを聞いて、「なにをつくるべきかが見えていないのに、その『ユーザー』について調査するの？」と思う人もいるかもしれません。その場合は次のような言い方ならどうでしょうか。

調査の結果を分析して、解釈して、やっと生まれるかもしれないアイデアが形になったなにかの「ユーザー」になってくれるかもしれない人が、今、どんな課題解決を望んでいるのかを知るための「調査」

「ユーザー調査」という言葉にはいろいろなことが省略されている、と考えるわけです。

そのことを忘れて、ユーザーという言葉を文字どおりに受け取り、自社の商品やサービスを使ってくれている「顧客」の範疇に閉じて考えてしまうと、今あるもののどこをどう改善すれば顧客満足度が上がるか、見込み顧客を取り込むにはどんな販促が必要かという話に終始してしまいかねません。それでは新しいなにかを発想するための種を見つけられずに終わってしまいます。

自他ともに認める競合はもちろん、まったくの畑ちがいとも思える業界の顧客も含めてユーザーを広く捉え、「彼らはなにをしたいのか？」という問いに向き合ってこそ、市場に受け入れられ、人びとに愛される商品やサービスを生み出すための方向性が見えてきます。

つくれば売れる時代は過去のことです。ユーザー自身すら自覚していない課題の解決や欲求の充足に挑み、ユーザーを驚かせ、感心させるものづくりを実現するために、人びとの生活を深く調べることがユーザー調査です。

とは言え、残念ながらユーザー調査は魔法の杖ではありません。ひとふりで、ユーザー自身すら自覚していない課題や欲求をサクッと明らかにするのはむずかしいし、ふり方をまちがえれば失敗もします。

しかし、**しっかりと計画を立て、余念なく準備をしてから調査に向かい、調査が終わったところで力尽きることなく、得られたデータを丹念に分析し、解釈し、次のアクションを決めて、ものづくりの次のフェーズへとバトンタッチできたなら、調査は成功です。**順調に行けば、ものづくりのそのあとのプロセスはまるで魔法がかかったように進めやすくなるはずです。

もちろん、そうかんたんにはいきません。落とし穴がゴロゴロありますから。中でも落っこちてしまいがちな穴をいくつか見てみましょう。

ユーザーが集まらなくて目的がぶれる

「スマホを使っている高齢者、自分のまわりにたくさんいるのになんで集まらないの？」

条件に合う人たちの顔が頭に浮かぶためか、集めるのはそれほどむずかしくないと考えていたのに、いざ募集してみると思うように集まらずに焦る。

そこで、調査を延期して仕切り直すという英断を下せればよいのですが、動きはじめたプロジ

図1

ユーザー調査の流れ

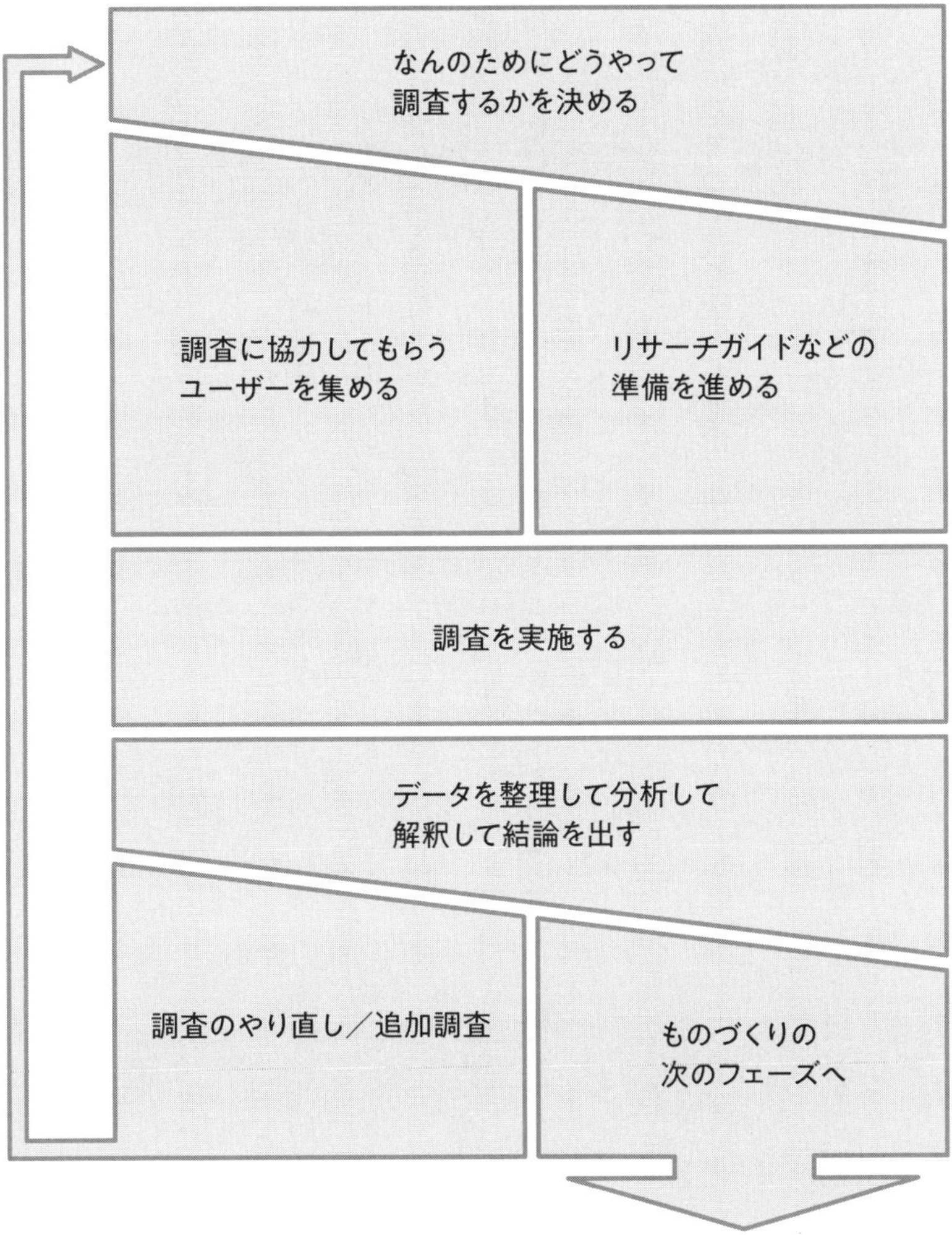
なんのためにどうやって
調査するかを決める
調査に協力してもらう
ユーザーを集める
リサーチガイドなどの
準備を進める
調査を実施する
データを整理して分析して
解釈して結論を出す
調査のやり直し／追加調査
ものづくりの
次のフェーズへ

エクトを途中で止めるのはむずかしい。というか、できれば突っ走りたい。なんとかならないか？　ということで……

「どの条件を、どこまでゆるめれば集められるか？」

と考えがちです。たとえば、高齢者がスマホを使ってみようと思う動機と、実際に使いはじめるときの障害を突き止めるのを目的に「スマホを使いはじめて3か月以内の70歳以上の男女」を集めようとしたけれどなかなか見つからなかったとしましょう。

まず、スマホを使いはじめて「3か月以内」を「6か月以内」にゆるめます。それでも集まらなければ1年まで延ばす。でも……、**1年前のことを思い出すのは大変だと思いませんか？**

「スマホはどこで買ったんですか？」くらいの質問なら、「そういうのはいつもヨドバシカメラだから」とか、「近所にdocomoショップがあってね」とか、すんなり出てくるかもしれませんが、買うと決めた動機やその機種を選んだ理由、使いはじめの苦労話などを思い出してもらうことはかんたんではありません。

そこで、もっと思い出しやすいこと、話を盛ったり適当にごまかしたりせずに済む最近の苦労話を語ってもらおうとなる。

「最近使いはじめたアプリに的を絞ってもいいかもしれないな……、でもアプリを限定するとまた人が集まらないかもしれないからどんなアプリでもいいか……」

そうこうしている間に、「高齢者がスマホを使いはじめるときの障害を突き止める」という当初の目的は「アプリをダウンロードするときの苦労話を確認する」くらいまでぶれています。

いつの間にか、**調査の目的が置いてけぼりになっていて、集められるユーザーでどんな調査ができるかを考えるようになってしまう**というわけです。

準備を進めるうちにやっぱり目的がぶれる

「ユーザー調査を足がかりにして、着実な次の一歩を踏み出したい」と、関係者全員が思っていても、準備を進めるうちにそれぞれの思惑に差があることがわかってきます。

「この仮説がまちがっていないことの証明になれば、このあとの話を進めやすくなるな……」

「この案をぶっ潰すための一言をユーザーに言ってもらいたい」

「たった5人やそこらの話を聞いたって、どうせなにも決められやしないよ……。ま、なんか出ればラッキーくらいいか」

準備の途中で目的意識にズレがあることに気づき、修正できればまだマシですが、ズレを放置しておけば準備を進めるうちにどんどんとっ散らかっていきます。「アレを聞こう」「ならばコレも聞きたい」「せっかくだからこの点も確認しよう」「もういっそのことユーザーに直接ニーズを聞いてしまおう」という感じで右往左往した挙げ句、当日になって、「あれ？　この調査の目的ってなんだっけ？」みたいな質問が関係者から飛び出すのが最悪の展開です。

担当者は縮み上がります。

目的がぶれぶれなまま、攻めて潰そうとする人と守りを固めようとする人の双方に喜んでもらえる結果を出すのは至難の業です。とりあえず予定どおりに調査をこなそうとしても、かみ合わない目的をあれこれ意識しながらでは、表面的な結果にしかなりません。こんな具合に……。

「仮説のこの部分はすべてのユーザーに好評でした」
「仮説のこういう部分を嫌うユーザーがいました。理由としては……」
「5人中3人は賛成でしたが、2人は反対でした」
「仮説とは直接関係しませんが、こんな意見もありました……」

受け取る側としては、「で？」となりますよね。「このユーザー調査、する意味ありました？」という声が聞こえてきてもおかしくありません。

順番どおりにすべての質問を聞くことが目標になってしまう

いよいよ本番。ユーザーと対話しながら、時おり調査の目的を確認しつつ用意した質問を繰り出していきますが、同時に時間も気にしなくてはならないから大変です。60分の約束で来てもらったユーザーに、「すみません、120分かかっちゃいました」というわけにはいきませんから。

「この流れであの話も聞いてしまうといいかも?」

と思っても、予定を変えた結果、大事な質問をうっかり飛ばすようなミスをしてしまうのが怖い。時間の管理もむずかしくなるから、準備したとおりの順番で聞いていくのが無難で確実か……。

「おもしろい展開になりそうだから、ちょっと予定にない質問をはさんでみようかな」

と思っても、その余分な質問をきっかけに話が脱線しまくって用意した質問を網羅できなかったら困る。藪蛇は避けて予定どおりに行くのが安心だ……。

こんな弱気な囁き声が聞こえてしまうと、**準備した質問を、予定どおりの順番で聞いていっ**

て、時間内にすべてを聞き終えることがいつの間にか目標になってしまいます。

すると、対話が生み出す実りは大きく膨らむことはなく、わざわざユーザーに来てもらったけれど、アンケートで十分だったかも……みたいな残念な結果に終わってしまいます。

せっかくのユーザー調査をこんな失敗づくしで終わらせないために、では、どうすればよいのか？　本書は、こういった**ユーザー調査でつまずく原因を突き止め、対処する方法や考え方**をまとめたものです。

さまざまな業種や業界のユーザー調査をお手伝いする仕事をつづけて、もうすぐ20年になります。かかわったプロジェクトの数は２００を超えますし、直接お会いして、お話を聞いてきたユーザーの数は延べ１，４００人にのぼります。成功裏に収められたプロジェクトが大半ではありますが、失敗も数えきれません。でも、失敗を通じての反省や教訓が支えになり、成功を後押ししてくれていることもたしかです。わたしの仕事を支えるこれまでの学びを、本書には詰め込みました。

調査を依頼する人、それを請けて調査を実施する人、調査の結果を受け取って次のアクションを起こす人、その他もろもろとの兼ね合いも考えて大きな意思決定を下す人など、ユーザー調査にはたくさんの人がかかわります。しかし立場はどうあれ、ユーザーが意識していなかったり、言葉にできなかったりする**「心の声」に耳を傾けようとする前のめりの姿勢**は共通しているはずです。そしてその声をしっかり聞こえるようにするには、人の認知の仕組みや歪みを知り、ユーザー調査のさまざまなタイミングでそれらに意識を向け、自分自身の認知の歪みを修正したり、相手に合わせて調整したりしながら進むことが肝要です。そうやって軌道修正しながら、質の高いユーザー調査を行い、**ものづくりに生かそうとする人たちすべてにとっての虎の巻を目指して書き上げました。**

本書の存在が、ユーザー調査の価値を高め、ものづくりにより貢献し、その結果として、ユーザーの皆さんがこれから目にする商品やサービスの質が上がっていくことを、ひいてはわたし達の生活がより豊かなものになることを、著者としても、そしてユーザーのひとりとしても願っています。

第1章 計画を練る
目的設定と手法選びの落とし穴

第2章 ユーザーを集める

リクルーティングの落とし穴

第3章 本番に備える
おざなりな準備の先にある落とし穴

第4章

ユーザーと向き合う

いざ本番！　セッション中の落とし穴

第5章 データを読み込む

すべてを台無しにする分析と解釈の落とし穴

第1章

計画を練る
目的設定と手法選びの落とし穴

目的設定　その1

1 目的が予算消化じゃダメなの？

調査の依頼をうけて、はじめてのミーティング。そこでなんのてらいもなく「調査の目的」を聞いたら、

「ズバリ予算消化です」

みたいな答えが返ってきてのけ反ることがよくあります。最近は減ってきたとは言え、絶滅まではほど遠いというのが実感です。おかげで多くの会社にとっての年度末にあたる3月は毎年、大変なスケジュールになります。過去最高（というか最悪）は、3月だけで6本の調査。合計で68時間30分、53人のユーザーにインタビューを行いました。死ぬかと思いました。

予算消化ねらいのユーザー調査を否定するわけではありません。ユーザー調査に価値を感じ、興味を持っているならやってみるべきです。しかし、はじまりがたとえ予算消化だとしても、「やってみたら楽しかった」で終わるわけにいかないのが大人の世界です。それなりにキッチリ

やらないとならないけど、どうしたらよいのかわからない……というときの最初の一歩はどうあるべきでしょうか。

①調査の「焦点」をはっきりさせる

人は、課題を解決したり、ニーズを満たしたりするために行動を起こします。

逆に言えば、どんな行動をどのようにして起こすのか、そのコンテクスト・オブ・ユース（「利用状況」や「利用文脈」とも呼ばれます）を観察や対話を通じてかき集めてじっくり分析すれば、ユーザーが意識していないものをも含む課題やニーズを突き止められると考えられます。これがユーザー調査の根幹です。

つまり、**「どんな人（Who）が、どんなタイミング（When）や環境（Where）で、どのような理由や意図（Why）により、なに（What）を使ってどんな行動を起こす（How）のか」を丹念に調べることが、あらゆるユーザー調査に共通する目標**になります。

俗に言う5W1Hです。煎じ詰めればかんたんな話なのですが、この5W1Hの組み合わせが無限にもなり得るところが厄介なところ。的を絞らずに無限の可能性を探ろうとすれば、迷子になります。

そこでまずは、**調査で焦点をあてるモノ（What）を決めます**。手に持って使える物理的な商品、ユーザーインターフェイス（UI）を操作して利用するアプリやサービスはもちろん、それらの中にある具体的な機能にまで絞り込むことも考えられます。体験や行為、サービスといった実体のないモノに注目することもあります。

たとえば、学びの機会を提供するスマホアプリの開発に向けてユーザー調査を行うとしましょう。まずは広くスマホアプリ全般の利用状況を調べることからはじめることも考えられますし、勉強用のスマホアプリに限定する作戦もあり得ます。逆にもっと広く「学ぶ」という行為に注目する手もあります。調査範囲が広がり、抽象度も増すためむずかしくはなりますが、現在スマホアプリを使わずに行っている行為に代わるものをスマホアプリで提供する可能性を探るには意義のある調査になりそうです。

ユーザーが課題を解決したり、ニーズを満たしたりするために使う手段となり得る「モノ」のどれに注目して「利用状況」を調べるかをはっきりさせるのが最初の一歩です。

②調査をしなくてもわかっていることを確認する

課題やニーズ、解決策などに根拠のある仮説が立っていて、それを検証すべく行う調査を「仮説検証型」、その仮説を立てるために行う調査を「機会探索型」と呼びますが、具体的な調査計画をはじめる前に、まずはそのどちらに挑もうとしているのかを見定めなければなりません。

一度以上の機会探索型調査を経て、データを念入りに分析し、解釈した結果としての仮説が手元にあるのなら、すんなり仮説検証型調査の計画をはじめて大丈夫です。

しかし、ちがう流れで得られた仮説を検証しようとするときには、その**出どころや根拠を確認する「仮説の棚卸し」**を行いましょう。社内にあるデータや資料、過去に実施した調査の報告書、Webや書籍などで手に入る情報と照らし合わせて、歪んだデータにもとづく思い込みではないことを確認してください。怪しい場合には、機会探索型にねらいを変更することになります。

機会探索型調査に向かうときも同じように、資料をあさって、目を通します。ねらいは、**調査をしなくてもわかっていることと調査を通じて明らかにしたいことをきっちりわけて整理すること**です。この手順を飛ばすと、「そんなこと調査しなくてもわかってましたけど?」とつっこまれて嫌な汗をかくような展開になりかねません。

③調査のあとにつづくアクションとともに目的をまとめる

ユーザー調査という手段を使ってユーザーが抱えている課題や欲求を明らかにし、解決策となる商品やサービスを提供するのがユーザー調査の先にあるゴールです。

つまり、課題や欲求を明らかにしたところで終わるわけにはいきません。**結果がものづくりの次のプロセスに生きてはじめて調査は成果を上げたことになります**。この大前提を忘れないように、**調査の目的にはそのあとにつづくアクションも含めて書きましょう**。

表1のように、機会探索型なら「ニーズをありったけ探り出したあとどうするのか」、仮説検

表1

調査目的の書き方の例

機会探索型調査の場合	仮説検証型調査の場合
ユーザーが○○を行うコンテクスト（文脈）を把握し、ユーザーが抱える課題やニーズを洗い出して、対策となり得る商品やサービスの検討へつなげることを本調査の目的とする	ユーザーが抱える課題□□に対する解決策として検討中のA、B、Cをそれぞれ検証し、その是非と優先順位を特定し、試作の設計へ進むか否かの判断材料を得ることを本調査の目的とする

証型なら「仮説の是非がはっきりしたらどうするのか」を書き添えて、手段が目的化してしまう残念な展開になるのを防ぎます。

特に予算消化ねらいではじまったときは、調査を終えた年度末に燃え尽きてしまわないように、後続のアクションを書き添えて、いつでも意識できるようにしましょう。

機会探索……と言いつつ、実は仮説があるケースもある

いきなり上に提案するのは自信がないとか、ユーザー調査で明らかになったニーズとして提案したほうが通りやすくなるといった思いから、機会探索型に見せかけて、仮説の裏付けを取ることをねらった調査を実施する場合があります。

そういう本音は上手に聞き出さないと出てこないことが多いです。相手がわたしの場合は単に、社外の人に言いにくいというのもあるかもしれませんが、ユーザーと直接対峙することになる調査者（「モデレーター」と呼びます）の「確証バイアス」を懸念している場合もあるようです。

確証バイアスとは、自分の持っている仮説が正しいかどうかを確認しようとするときに、その仮説を後押ししてくれるデータを優先的に探そうとする人間の認知の癖を言います。たとえば「AよりもBのほうがユーザーニーズに合っている」という結論が出ることを密かにねらっているときに、「Bの利用シーン」をユーザーにしつこく聞く一方で、「Aの利用シーン」には触れずに済ませてしまえば、そのモデレーターは確証バイアスに屈したことになります。AとBの両方の利用シーンを平等に調べたうえで「Bのほうが好ましい」と結論しなければフェアじゃありません。

仮説に対する思い入れが強ければ、確証バイアスは無意識のうちに一層強力になります。こうした人間の認知特性を理解している依頼主は、モデレーターを外部に委託して、調査のあとにつづく

設計や製作に直接かかわる人間にその役を担わせることを避けます。モデレーターに仮説を話そうとしないのも、確証バイアスのスイッチが入ることをおそれるからでしょう。

しかし、その心配はご無用です。モデレーターは、確証バイアスの危うさを理解し、油断すればその認知の癖が出てくることを踏まえて現場に臨みます。そうでなければなりません。「確証バイアスってなんですか?」とか言っちゃう人は、残念ながらモデレーター失格です。モデレーターを信用して、仮説があるなら共有するようにしてください。

2 目的設定 その2 ただ「やりたい」だけでは先へ進めない

「ユーザー調査を行いたいと考えています。概算で構いませんのでお見積もりをいただけますか？」

こんな依頼のメールが舞い込むことも少なくありません。ユーザー調査と一口に言ってもその内容は目的次第でいろいろです。かかる時間と費用もピンキリですから、いくら概算でよいと言われても、これでは数字を出せません。

自分で調査計画を進めるときも同じです。社内スタッフの工数だからと言って、無尽蔵に使えるわけではありませんよね。

かかる時間やお金の目安を立てるために、決めなければならない次の3項目をおさえましょう。

①どんなユーザーに焦点をあてるのかを決める

調査に協力してくれるユーザーを集めることを「リクルーティング」と言いますが、これをはじめるには、どんなユーザーのコンテクスト（文脈）を調べれば、ニーズの探索や仮説の検証につながるかを見定めなければなりません。

たとえば、書籍の販売促進につながる新たな策を検討するために、人が「読書」を行うときのコンテクストを把握すべく調査を行うとしましょう。

この場合、読書について豊富に語れそうな人は、どんな生活を送り、どのように読書をする、どんな価値観の人物かを考えます。

年齢や性別ではなく、**行動や価値観に注目するのがポイント**です。年齢を重ねた中高齢者のほうが長い年数を生きている分、多くの本を読んでいる可能性はあります。しかし、高齢者でも読書が嫌いな人はいます。若くても、三度の飯より読書が好きという人のほうが読書について語れることが多そうですから、年齢よりも読書の量や習慣の有無を条件にすべきです。

本は、図書館などで借りて読むこともできます。借り読みする人の話を聞くべきでしょうか？それとも購入する人に的を絞るべきでしょうか？　それとも、両方を使い分けている人に話を聞いて両方の文脈を捉えることをねらいますか？

電子書籍の登場で読書の仕方が変わった人もいるはずです。これについても紙本と電子書籍を

表1

ユーザーの募集条件と判断基準

「読書」という行為に影響する因子	ユーザー募集の条件	判断基準
読書の多寡	読書量の多い人	日本人の平均年間読書本数（12～13冊）以上
読書習慣の有無	読書習慣を持っている人	ほぼ毎日読書をしている
図書館利用の有無	図書館利用よりも、購入が多い人	月に1冊以上の本を購入している（電子書籍か紙かは問わない）
電子書籍の活用状況	電子書籍と紙本を併用している人	電子書籍を読むためのデバイスやアプリを所有している人（専用端末を所有している人を優先）

併用している人を募集して両方の文脈を探るという欲張り作戦にしますか？　それともどちらかに的を絞るべきでしょうか？

このように、**「読書」という行為に影響を与えると考えられる因子を書き出してから、調査の目的に照らして、ユーザーを集めるときの条件を決定していきます。**そして表1のように、その条件を満たすかどうかの**判断基準**もあわせて検討しましょう。

条件が増えればその分だけリクルーティングはむずかしくなりますから、**必須の条件は3個前後におさえる**のが理想です。それを超えるものは「優先条件」（努力目標）とします。『はじめに』にも書いたように、ユーザーが思うように集まらなくて焦ってくると、条件をゆるめようという話になり

表2

「読書に関するインタビュー調査」のためにユーザーを集めるときの条件

●必須条件
・平均して月に1冊、年間で12冊以上の読書をしている男女 ・ほぼ毎日読書をしている人（紙／電子書籍どちらでも可） ・直近1ヶ月以内に1冊以上の本（電子書籍を含む）を自分で購入した人 ・電子書籍を読むためのデバイスやアプリを所有している人
●優先条件
・図書館を併用している人を若干名含みたい ・電子ブックリーダー（電子書籍を閲覧するための専用端末）を所有している人を優先する
●除外条件（以下の条件に合致する人は対象外とする）
・読書が嫌いな人 ・読書傾向がマンガ、雑誌、写真集に偏っている人 ・市場調査等に携わっている人 ・出版、取次、書店等、書籍に直接かかわる仕事をされている人

がちです。そんなときに、「優先条件」はゆるめてOKだが、「必須条件」はひとつもゆずれないという線引きが明確になっていれば判断に迷いません。人数を集めることばかりに意識が向いてしまわないようにする対策としても有効です。

リクルーティングの失敗や手戻りを防ぐために、ここで表2にあるような「除外条件」も決めてしまいます。マンガや雑誌は依頼主が考える販促対象にあてはまらないという場合には、たとえ自称「趣味は読書」の人でも調査に適しているとは言えません。また、書店員など、書籍の販売に直接かかわる仕事をしている人の読書傾向は「一般的とは言えない」と考えるなら対象から外すことになります。

ユーザーの条件をどう設定するかはユーザー調査の要のひとつです。ここで意見が割れてまとまらず、リクルーティングをはじめられずにズルズルと時間が過ぎて調査自体がポシャってしまうこともあるくらいです。調査の目的とあわせて、まずガッチリ決めましょう。

②いつまでに調査を終える必要があるかを確認する

しつこく書きますが、ユーザー調査は手段に過ぎません。後続の活動にバトンを渡し、動き出すところを見届けるまでが調査担当者の仕事であって、そこまで持っていってやっとの成果です。その成果をどういう形で共有するかは『4 調査チームの仕事はどこまで?』に書きます。それよりも先に確認が必要なのはお尻、つまり**締め切り**です。

調査の実施や結果の共有が遅れれば、意思決定が遅れ、後続の活動のスタートが遅れます。あれよあれよとすべてが遅れ、あわあわしているうちに他社から類似する商品が世に出てしまったりすれば「ユーザー調査なんかに頼るからだ!」とエライ人から雷が落ちたり、スタートの遅れにもかかわらず開発スケジュールは当初の予定どおり……みたいなことになれば「調査チームがもたもたやってるからだ!」と開発部隊から恨まれたりすることになります。

こういうことが一度でもあると、ものづくりの上流でユーザー調査を実施するという活動自体に対して社内からの風当たりが強くなってしまいます。

そんな残念な展開にならないよう、締め切りをしっかり確認しましょう。認識のすれちがいを避けるために、**調査の実施を終えるべきタイミングと調査の結果を共有すべきタイミングの両方を確認するのがポイント**です。

しかし、リクルーティングをはじめとする準備にかかる時間を見積もって、然るべきタイミングで実施や報告をするのがどうにもむずかしいという場合には対策が必要になります。調査の規模を縮小したり、逆に2チーム体制で倍速の調査実施を目指したりすることも考えなければなりません。ただ、実施すること自体が目的化するのは本末転倒ですから、調査の目的を常に念頭に置き、場合によっては時機を見て仕切り直すという英断が必要になるかもしれません。

③仮説をどうやってユーザーと共有するかを決める

仮説検証型の調査を行う場合は、**その仮説をどういう形でユーザーに示すか**を決めなければなりません。準備に時間がかかるかもしれないし、調査を実施する場所にも影響が出るかもしれないからです。

仮説の内容や成熟度によって議論が紛糾するところではありますが、選択肢は大きく分けると3つです。

1．ガッツリ動くプロトタイプをつくって、実際に触ってもらう

2．ペーパープロトタイプ（画面や場面の遷移を紙に描いたもの）で「使っているつもり」になってもらう
3．口頭で説明し、想像力マックスで聞いてもらう

「プロトタイプ」は、ユーザーからのアクションに対して、商品やサービスがどのように反応するのかを見えるようにした「試作」のことです。ひと昔前までは、プロトタイプをつくるにもかなりの時間と予算が必要で、自ずと3を選ぶことになりがちでしたが、プロトタイピングツールや3Dプリンターの発達によりユーザー調査の段階で1を選ぶこともむずかしくなくなってきています。

しかし、1の「ガッツリ動くプロトタイプ」をつくるのがいつでも最善かというと、かならずしもそうとは言えません。具体的なものを見た途端に、ユーザーはそれを**「よい／悪い」「好き／嫌い」といった単純な軸で評価しようとしたり、「見た目」のどこをどう改善すべきかという指摘に終始したりしがち**になります。また、「ここまでつくったならコレでいいんじゃない？」と好意的に受け止めようとしたり、目にしたものとはまったくちがう**解決策やアイデアをあえて想像する手間をかけようとしなくなったりする**ことも懸念されます。

一方、口頭でアイデアを伝えるだけでは、ユーザーの理解力と想像力への依存が大きくなり、高齢者など認知能力が下がり気味のユーザー相手の場合は仮説をしっかり伝えきれないリスクが

浮上します。こうした長短を補う目的で使われる妥協案とも言えるのが2のペーパープロトタイプです。耳で聞くだけでなく、目で見られるものがあれば認知的には大きな支援になります。

Column

ダミーデータも「本当っぽく」すべし

プロトタイプにとりあえず載せるデータを、どうせダミーだからと適当な数字にしておくと、ユーザーの不信を買ったり、集中を妨げるきっかけになったりしてまったくよいことがありません。

ファイナンシャル・プランニングに使うアプリのプロトタイプを見せたときのことです。金融資産の残高予測グラフが示す数字が途方もないマイナスになっているのを見て、お先真っ暗な未来にユーザーの気持ちが折れてしまいました。ダミーの数字だとくり返し説明しましたが、その数字が頭から離れないらしく、何度もその画面に戻ってあれこれ確認しようとしていました。

健康管理に使うスマホアプリのペーパープロトタイプを見せたときには、「脈拍：23拍／分」という数字を見て「この人、もう死んじゃいますよね……」とつっこんだり、血圧の記録が最高と最低で同じ数字になっているのを見て「こんなことってあり得るのかな……」と考え込んだりするユーザーが続出し、途中でプロトタイプをアップデートすることになりました。

最初から「それらしい」数字にしておけば避けられる混乱です。せっかくユーザーが利用シーンを想像しようとしてくれているのに、その邪魔をするデータがあってはなりません。プロトタイプをつくるのであれば、そうした細かい部分にまで気を配りましょう。

仲間探し　その1

3 助っ人探しに手間取る

さんざん打合せに通い、時間をかけて計画書や見積書をつくって提出した挙げ句に、こう言われてお役御免になったことは一度や二度ではありません。

「契約が間に合わないので、付き合いのあるところにお願いすることになりました……」

「次の機会にはぜひよろしくお願いします」と大人の対応をしますけど、それはもう残念な気持ちでいっぱいというか、かけた時間と労力をふり返って悔しくなります。

「今回は、勉強もかねて社内のメンバーで実施することにしました。経験者に助けてもらえることになったので……」

みたいなこともあります。「内部のリソースで実施できるならそれに越したことはないですよねー」と、またしても大人の対応ですが、内心では「内部のリソースを確認してから外に見積もり依頼しましょうよ」です。

はじめてのユーザー調査となれば、助っ人探しも手順の内です。やみくもに見積もり依頼を出すのはビジネスマナーに反しますし、自分たちの時間や労力を無駄づかいすることにもなります。手際よく助っ人を見つけるためのコツをおさえましょう。

①社内の頼れる経験者を見つけて相談する

自分や自分が所属する部署はユーザー調査の初心者かもしれませんが、**社内を見渡してみれば経験者が見つかるかもしれません。**ユーザーの声を聞くことに価値を感じ、行動を起こしている同僚を見つけて、「自分たちもユーザー調査をやってみたいのだけど……」と相談を持ちかければ、きっと前のめりで話を聞いてくれます。その人自身が先導してくれることだってあるかもしれないし、社内にいる調査部隊とつなげてくれるかもしれません。そこで内部のリソースが見つかれば、外に見積もり依頼をする無駄な時間と労力を削れます。

社内につなげる先がない場合でも、すでに取引のある外部の調査会社を紹介してもらえるかもしれません。新たな取引先との契約だの、登録だのといった事務手続きに時間がかかるのは、ユーザー調査にかぎった話ではありません。「契約が間に合わない」のを理由にいつもの会社に落ち着くならば、事務手続きの必要がないいつもの会社にまず問い合わせるのが近道です。

②社外の頼れる協力者を探す

頼れる経験者が社内で見つからなかったときは、Ｗｅｂで検索して助けてくれそうな会社を探すのが必定です。「ユーザー調査」や「定性調査」で検索すると助けてくれそうな会社がいろいろ出てきますが、今度は候補がありすぎてどうやって選べばよいのかわからない。

そんなときは、**サービスとして提供している調査手法を確認しましょう。**

Ｗｅｂアンケートのように、**集めたデータを数値化して統計分析することを前提に行う「定量調査」**の推しが強い場合は、定性調査と定量調査をセットで受注することをねらっている可能性があります。わたし達が実施するユーザー調査は、**ユーザーの生の声や行動の裏に潜む欲求といった数値化できないデータを集めようとする「定性調査」**です。

定性調査の結果を踏まえて定量調査を実施し、量的なたしからしさを確認したり、逆に調査の的を絞り込むために定量調査を実施してから、じっくり定性調査を行ったりといった組み合わせ調査には意義があります。しかし中には、得意の定量調査を売るために、定性調査もできることをうたっているという残念な会社もあります。

それを見分けるために**「定性調査」の中身も確認します。**「グループインタビュー（以下「グルイン」と呼びます）」や「ユーザビリティテスト」を推していれば黄色信号です。ユーザーの深層心理に切り込んで見えざるニーズをつかもうとするユーザー調査でイチオシの手法がグルインだとすると、それ以外の調査手法の実績は少ないかもしれません。そうした会社に依頼した場合、グルインという手法ありきで調査を計画することになりがちです。

もうひとつの「ユーザビリティテスト」は、ユーザーが手にする商品やサービスに潜む問題点を特定する「評価」の段階で使われる手法のひとつで、ユーザーが抱える課題やニーズを突き止めることをねらうユーザー調査とは別物です。これらを混同せずにサービス内容を説明できていれば信用しても大丈夫そうですが、そうでなければ期待に合わないかもしれません。

さらに慎重を期すなら、担当することになるスタッフ、**特にモデレーターの経験値や得意分野を確認します**。社内のスタッフは全員定量調査の専門で、定性調査のモデレーターは外部に委託するような体制の会社もあります。とすると、その会社は定性調査があまり得意ではないかもしれません。また、ユーザビリティテストのモデレーター経験がいくら豊富でも、ユーザーインタビューをしたことがなければ浅いインタビューに終わってしまう可能性があります。なかなかはっきりとは共有してもらえない情報かもしれませんが、**聞いてすんなり答えが返ってこなければ用心が必要**と考えましょう。

モデレーターが調査設計の段階からチームに加わるのか、それとも調査の直前に合流してモデレーションのみを担うのかも聞いておきたい情報です。会社によっていろいろなやり方がありますし、逆に希望を言えば、それにこたえてくれるところもありますから、チーム体制も含めて問い合わせてみましょう。

4

仲間探し　その2

調査チームの仕事はどこまで？

調査会社から「モデレーションだけお願いします」と言われて、そのつもりで引き受けて、バッチリ仕事を終えて2週間ほどしてから受け取ったメッセージです。

「今さら申し訳ないのですが、報告書を書いていただけないでしょうか？」

調査会社のほうでそこは引き受けるという話だったのに、依頼主に提出したらダメ出しを食らったらしいです。そしてお鉢が回ってきたという……。

どうせ読まれない報告書はいらないという話だったのに、「検収を通さなければならないからやっぱりなにか書いてください」みたいな展開もありました。他にも、調査の最終日になってから「速報ください」と言われたり、報告書の提出とセットで自動的に報告会が予定されていたりと、調査も終盤にさしかかってからのすったもんだはいろいろあります。

そうやって慌てることのないように、**社内外の専門家やチームに調査を依頼する場合は、どこ**

までかかってもらい、なにを成果とするのかを決めてから動き出すのが賢明です。あなたが請け側の場合でも、それを端的にまとめたドキュメント（SOW＝Statement of Workと呼びます）が依頼主から出てこないときは勇気を出して言い出しましょう。

①意思決定まで伴走してもらう

しつこいですが、調査の結果を後続の活動へつなげてこそのユーザー調査です。ただし、分析結果を解釈してなんらかの意思決定を下すには、調査結果以外のことも絡んでくる場合が少なくありません。意思決定は、使えるリソースや配慮しなければならない制約を心得たうえで、中長期的なビジネス目標も見すえていなければできないからです。その場には、調査には直接かかわってこなかったステークホルダーも参加することになるでしょう。**調査チームがそこまでかかわるとなれば、組織のビジョンや制約など調査結果とは別のインプットも必要となります。**

そうした時間に投資してでも、調査からの流れを止めずに意思決定まで進めてしまうことに意義を感じ、社内の理解も得られているのであれば、そこまで根気よくつき合ってくれそうな調査者や調査会社を見つけて、伴走してもらいましょう。

②意思決定のための土台づくりまでを依頼する

わたし達があつかうのはユーザーの発話や行動といった数値化できない定性データです。それをさまざまな角度から見て、壊して、またちがう角度から見て、を夢に出てくるくらいまでくり返す分析作業には相当の知識と経験と根気が必要です。データさえ手に入れば、あとはなんとかなると思うのは壮大な勘違いです。**社内外の経験者を頼らなければ右も左も分からないというところからスタートするなら、データを分析し、解釈するところまで導いてもらわないと、後続の活動につなげるのはむずかしいかもしれません。**

ただし、分析と解釈の作業を丸投げして、結論だけ聞かせてもらうという体制には賛成できません。**依頼主側からも何人か作業に加わるのが理想です。**見る目が増えれば、見え方もちがってきますし、偏った見方に流される危険も減らせます。組織のビジョンや制約が頭に入っている人が加われば、それを踏まえた見方が加わりますし、今回の調査で知りたかった範囲を超えた気づきを得るチャンスも生まれます。なにより、経験豊富な調査者と分析作業をともにすることで得られる学びも大きいでしょう。

③モデレーターとしての所見や所感をまとめてもらって、引き取る

調査の結果を後続のアクションへつなげるべく、分析と解釈は依頼主側でキッチリやります！　やれます！　という場合、もしくは、誰が担うにしろガッツリ分析している時間（あるいはお

金）の余裕がないという場合は、妥協案として**モデレーターに報告書をまとめてもらう手**を考えてみましょう。

モデレーターは調査の目的や目標を常に念頭に置き、ユーザーと向き合います。自らの認知の癖を自覚したモデレーターは、仮説に惑わされることのないよう細心の注意を払いながら頭の中で仮説の構築と検証と破壊をくり返し、最後のセッションが終わる頃には、「断言はできないけれど、こう言えそうだ」くらいまで結論の見当をつけています。

ユーザーと間近で接したからこそ、ユーザーが言葉の端で示した認知的な抵抗や無意識に行動に現れた本音などに気づくことができます。**発言録を何度読み返しても見えてこないそうした機微を踏まえて、調査に対するモデレーターなりの結論を「報告書」という形にまとめてもらえば、分析や解釈の一助になるときがきっとあります**。なにより検収に回せますし。

ただし、そうした報告書をまとめる立場から言わせてもらうと、それなりに時間がかかりますので、最終日に「明日ください」と言われてすんなり出せる代物ではありません。頭の中でだいたいの見当はついていると言っても、根拠を示すことなく、主観一辺倒で言いたいことを並べるわけにはいきません。手元のメモを見返したり記憶をたどったりするのに時間がかかりますから、セッション数に応じた日数が必要です。

根拠はともかく、モデレーターの主観で構わないからスピード重視で「明日ください」と言う場合は、「トップラインレポート」とか「サマリー」とか「速報」とかちょっと呼び名を変えると誤解を避けられます。これも翌日サクッと提出するにはセッションの合間にメモを整理するといった準備が大切なので（その方法や内容は『44 聞かれても思い出せずに焦る』で触れます）、最終日だしぬけにリクエストするのはやめましょう。そしてもうひとつ、そもそもの話を。受け取る側は、データの見直しやしっかりとした分析を経ずにまとめられる根拠の不確かな速報が本当に必要かどうか、立ち止まって考えてほしいです。

④ モデレーションだけ依頼して質の高いデータ収集を期待する

ユーザー調査をしてはみたものの、いざデータを分析しようと思ったら、聞くべきことを聞けていない、上っ面の質疑応答に終わっていてデータに深みがない、聞き方がなっていなくてデータに信憑性がない……といった焦る経験を一度でもすると、調査の肝はモデレーターだということがわかってきます。

逆にモデレーターとして依頼を請ける側からすると、調査の目的や目標がはっきりしていなかったり、設計やリサーチガイド（第3章で触れます）のつくりがいまいちでなにを調べたいのかわからなかったり、そうした情報を直前まで共有してもらえなかったりすれば、いくら経験があっても結果を出すのはむずかしくなります。

前節で、調査会社を頼るときにはモデレーションを担うスタッフの経験値まで確認することをおすすめしましたが、経験が豊富なモデレーターであれば、自分に求められている役割がモデレーションのみの最短コースなのか、調査の目的を達成するところまで伴走するフルコースなのかを気にするはずですし、かかわり方に応じて、しっかり結果を出すために必要な情報を逆に聞き取りにくるはずです。そんな対話が、モデレーターの力量を予想するための手がかりにもなります。

手法選び　その1

5 手法を選ぶところでもめて出鼻をくじかれる

ユーザーが商品やサービスを利用するリアルな環境に調査者が行き、使う様子をガッツリ観察する「行動観察」をしたいという相談をたくさん受けます。そのたびにホイホイ出向いて、何度も話し合った末に、「やっぱりむずかしそう」とか、「ネゴとか準備とかが大変そう」とか、「予算がどうにも足りない……」といった理由で「やっぱりインタビューでお願いします……」となればまだマシです。何度も呼び出された挙げ句に、

「ユーザー調査は時期尚早ということになりました。勉強し直してから、また相談させてください」

みたいに丁重なお断りメールを受け取るのが最悪にしてよくある展開です。手法を選ぶところですったもんだせずに、しっかりスタートを切るための策を3つ紹介します。

①シンプルに、まずは2択で考える

むずかしく考えすぎず、まずはざっくりと次のふたつに分けて考えます。

- ユーザーの言語報告に頼る手法
- ユーザーの言語報告に頼らない手法

前者の代表格が「インタビュー」、後者の代表格が「行動観察」です。

行動観察のほうが、「行動」として現れた事実をありのままに捉えることができるので、よりたしかなデータを集められます。行動の裏にある理由や意図を推し量りながら観察を行えば、ユーザー自身も気づいていない欲求を捉えやすくなるからです。うまくいけば、ユーザーがすでに自覚している課題への対症療法的なものではない、根本的な解決策の検討へ進む道が開けてくるでしょう。**特に機会探索を行うときには行動観察のほうを選べると期待がより膨らみます。**また、ユーザーの口から出るとっさの嘘やごまかしに惑わされる危険を排除できる点も行動観察の大きな強みです。一方、根回しや準備がとても大変なところが短所です。

逆に、ユーザーの言語報告に頼る手法は行動観察に比べれば準備がかんたんです。また、**「ユーザーの言葉」が持つ力は大きい**です。どう言っても耳を貸そうとしなかったデザイナーやエンジニアを動かす力をたしかに持っています。しかし、ユーザーがすんなり言葉にできる課題やニーズはすでに表面化しているものです。内に潜むニーズを掘り起こしたり、真摯な意見を引っ張り出したりすることを目指しはしますが、失敗すれば表面的な質疑応答に終わります。ユーザーの言葉に嘘やごまかしが混じる可能性を完全に排除できないのも短所と言えるでしょう。

結局、どちらにも長短があります。それを踏まえて、どちらが適切かを考える。まずはそこからです。

② 一も二もなくユーザーインタビューを選ぶ

それでも迷っちゃったり、もめちゃったりする場合は、ユーザーインタビューを選びましょう。

なぜならユーザーインタビューのほうがかんたんに準備に取りかかれるからです。行動観察の場合は立ちはだかる障壁をクリアする目途が立ってからでなければ準備にも取りかかれません。**手法選びでアレコレもめるくらいなら、「まずはユーザーインタビューで行く！」とあっさり決めて、インタビューの質を上げるための準備やトレーニングに時間を割くほうが建設的です。**

インタビューをしたうえで、行動観察で確認すべきことが見えてきたなら改めて行動観察の可能性を検討すればよい。いきなり高い山に登ろうとするのではなく、まず身の丈に合った低めの山を目標に設定するのがなによりの対策になります。

③選ばない。両方やる

調査は一回きり、選べる手法はひとつだけ。そんな思い込みにとらわれている人が案外います。

行動観察とインタビューの長短は表裏一体です。組み合わせて補い合えば、それに勝るものはありません。

行動観察のときに撮影した映像や写真を一緒に見ながら、そのときの行動や気持ちを語ってもらう方法を「回顧インタビュー」と呼びます。頭の中にある記憶をただ思い出すのは負荷が高く、歪みや脚色が多くなりがちですが、回顧インタビューならその短所を補う効果が期待できます。また、回顧インタビューを行うことがはっきりしていれば、現場では行動観察に徹することができます。

行動観察をしながら、一緒に言語報告も取ってしまうというぜいたくな手法もあります。調査者がコンテクスト（文脈）に沿って質問をしながら行動を追いかける「コンテクスチュアル・インクワイアリー（Contextual Inquiry）」や、ユーザー自身に頭の中で考えていることやそのときの気持ちを解説しながら行動してもらう「シンクアラウド法（Think Aloud Method）」と呼ばれるものです。長短を補い合う万能な手法に聞こえるかもしれませんが、これらにも短所があります。しゃべることで行動が分断されてしまうことと、行動に使われるはずだった意識の一部がしゃべるほうに向けられてしまうため、ユーザーの行動が１００％自然なものとは言えなくなることです。

先にユーザーインタビューを行ってから、行動観察をする手もあります。この場合は、行動観察に先立つ準備という位置づけでインタビューを行う場合が多いです。インタビューを通じて、よりふさわしいユーザーを選定し、観察の的を絞る作戦です。

手法を組み合わせるやり方は、調査の焦点がとても専門的な場合に特に効果を期待できます。たとえば特殊技能や専門の資格を持つ人をユーザーとして想定していて、調査者がその領域に明るくない場合や十分な時間を予習にあてられない場合などは、インタビューだけでは心もとないです。百聞は一見に如かずと言うとおり、仕事場や仕事の様子を観察させてもらうことで理解が百倍におよぶことが期待できますから、行動観察もあわせて実施するのが理想です。

手法選び　その2

6 現場へ入り込めずに行動観察をあきらめる

行動観察の大きな障壁のひとつは、現場へのアクセスです。ユーザーの生活実態を探ったり、自宅で過ごす時間に使われるモノやコトの利用状況を把握したりするのが調査の目的ならば、ユーザーの自宅を訪問すればよいのでさほどの障壁にはなりません。でも、行動観察をするべき場所はユーザーの自宅とはかぎらないから大変です。

たとえば、ユーザーの生活実態の中でもとりわけ仕事にかかわる部分を探りたければ、**職場を訪問すること**や、ユーザーの仕事の仕方によっては**自宅と職場の両方へ行くこと**を考えなければなりません。営業さん相手なら外回りに同行しないと意味がなさそうです。

オフィスへの訪問を実現するのもけっこう大変です。部外者をホイホイ招き入れてくれる会社はそう多くありませんし、快く協力を申し出てくれたと思ったら、当日になって「打ち合わせスペースまで」と制限されてしまう失敗も何度となくありました。

公共空間や特定の店舗へ行きたい場合も、筋を通して調査をするのは大変です。そうした場所には、調査協力に同意してくれたユーザー以外の人びとが存在するので、倫理的には彼らにも同意を得なければなりません。が、それはほぼ無理です。

その空間を管理する会社や組織へ申請を出し、場所によっては警察へも届け出て、調査当日はかなりの人数を周辺に配置して突発的な事態に備え、ドラマや映画の撮影並みに準備が必要……ということで、**別の手法を取るのが無難で確実という判断になるのがお決まりです。**

こうして多くの場合、ユーザーの自宅以外での行動観察は無理……となってしまうのですが、方法がないわけではありません。取れる作戦を7つ紹介します。

①現場の持ち主を巻き込む

現場を所有する企業や組織を調査に巻き込む方法を考えます。場所を管理し、調査に許可を出す側を当事者にしてしまえば問題を解決できるかもしれません。

と言いつつ、縦割りのキッチリした会社が相手だと交渉が難航するので楽観は禁物です。それでも、無関係の人間がいきなり行って「調査に使わせてください！」と交渉をはじめるよりはまちがいなくハードルが下がります。

②現場をつくっちゃう

店舗に似せた空間を一からつくり上げて調査をしたことがあります。そこで買い物行動を観察して、ユーザーが店内をどう動き、商品にどのように接するのかを記録しました。ユーザーはとても楽しそうに調査に参加してくれましたし、おかげでたくさんの気づきがありました。ビデオも回せるので、行動観察の割には記録がかんたんでした。他のお客さんが入ってくる心配がないので倫理的な問題もクリアです。

しかし実際の店舗なら**他のお客さんや店員との絡みがあるはずで、それらを排除した調査環境はあくまでもつくりもの**です。商品の見方、選び方などに焦点を絞った調査であれば実施する意義がありますが、そうでなければ得策とは言えません。準備も死ぬほど大変です。

③ユーザーの友だちに扮する

店員とのやり取りに焦点をあてる調査であれば、本物の店員がいる実店舗へ行くしかありません。そこで取った作戦は、調査者がユーザーの友だちになりきって一緒にお店へ行く方法でした。

ユーザーにはふつうに買い物を楽しんでもらいつつ、店員とのコミュニケーションを間近で観察します。録画や録音はできませんが、ユーザーにべったり張りついていられるので見逃す心配もありません。

この作戦のポイントは、**お店へ行く前に友だち同士になりきる練習をすること**です。それほどの関係性を短時間で築けるかどうか、モデレーターの腕が試される作戦です。

④コッソリ実施する(おいっ!)

法律や倫理規定にはしっかり注意を払ったうえで、コッソリと観察をしてしまう作戦です。これがなにげにいちばんかんたん。

ただし、このちょっとズルイ作戦で行動観察を決行する場合は、自分たちがその場に居合わせる人たちからどう見えるか、どのくらい不審に映るか、不審がられたときにその場の管理者がどんな行動を取る可能性があるか、最悪の事態まで想像して、たとえそうなってもきっちり対処できるかどうか、自分たちで見極めなければなりません。**対処する自信がなければ、この作戦はあきらめるべきです。**

言うまでもありませんが、撮影はダメです。いわゆる隠し撮りはマズイです。**手書きのメモで取れるかぎりの記録を取ります。**1人で足りなければ2人で、3人で、と人海戦術です。観察者が多くなると、ユーザーの行動を歪める要因になりますし、場所の所有者に気づかれて注意を受ける可能性も上がりますから、張りつくのは最大でも2人まで。3人目からは距離を取って追いかけてもらい、**空間全体や動線の記録を取ってもらうなど役割分担をする**ことになります。それだけの体制をつくれるかどうかも鍵になります。

⑤現場の様子を「日記」で報告してもらう

どうしても現場へ入り込むことができそうになかったり、ユーザーの自宅でも早朝や深夜など、お邪魔するのがむずかしい時間帯に関する調査をしたかったりするときには、ビデオや写真を使って、現場の様子をユーザーに報告してもらう「日記調査」を考えます。

あるテーマに沿って日記をつけてもらう調査手法です。スマホのない時代には、ノートとペン、そして簡易なカメラを添えた小道具一式をユーザーに届け、夏休みの宿題のごとく本当に日記をつけてもらっていました。期限がきたら送り返してもらうという段取りです。もちろん今でも、スマホを持たないユーザーが相手なら同じようにするしかありませんが、スマホ利用者に絞れるなら、dscout[*1]のような専用のサービスとアプリを使うことでかなり効率よく日記を届けてもらえます。

日記調査のいちばんの長所は、記憶が鮮明なうちに記録してもらえることです。加えて、言語化しにくいところや、言語報告に頼りたくないところを**写真や動画で報告してもらうようにすれば、ユーザーの負担が減ると同時にデータに嘘やごまかしが混ざることを防げます。**商品やサービスを利用する環境や文脈もあわせて把握できるようにするためには、撮影のガイドラインをていねいにつくり、指示を出すことも必要です。しかし、調査の途中でも状況を確認できるため、意図がユーザーに正しく伝わっていなかったり、報告内容が不十分だったりしたときに修正をかけられるのもうれしい利点です。

また、一定期間連続して報告してもらえるという長所もあります。くり返される行動を把握し

＊1　https://dscout.com/

たいときには、現場に入り込んで一度きりの行動観察を行うよりも、日記調査のほうが理想的な手法になる可能性があります。

一方の短所はと言えば、すべてのユーザーが順調に日記をアップしているかどうかを終始モニターする必要があることです。これが時間と神経を使います。顔を合わせることなく調査がはじまり、進行していくので、打ち解けるのに時間がかかるか、最後まで打ち解けてもらえない可能性もあります。途中でユーザーがキレてしまったことが実際にありました。顔の見えないコミュニケーションにはそんなリスクも潜んでいますので、**十分な準備とていねいなモニタリングは必要不可欠**です。

また、ユーザーが撮る写真やビデオに第三者が映り込んでしまうリスクがあります。ユーザーには、社会通念に照らして良識の範囲内で協力してもらいたいこと、万が一トラブルになった場合の連絡先や対処法などを事前に知らせておくようなケアも大切です。

⑥インタビューの前に宿題をしてもらう

日記調査はずいぶんとお手軽にできるようになりましたが、日記をつける側からすると楽なことではありません。その分、リクルーティングが大変になります。

そこで思い切って、**日記をかんたんな宿題レベルまで下げる**という手があります。インタビューへ来る前に、特定の行動を取るときの様子を宿題という形で記録してもらうことで、記憶への定着を図りつつ、言語報告に嘘やごまかしが入り込む可能性を少なくするのがねらいです。

この場合、**宿題の内容を的確にユーザーへ伝えられるかどうかが鍵を握ります。**「たとえばこんな感じ……」という例をつくってあげると安心ですし、よい例と悪い例の両方を見せてあげられればさらに安心です。

インタビューの当日に持参してもらうのではなく、事前に提出してもらうようにすれば、場合によってはやり直しや撮り直しをお願いできますし、「持ってくるのを忘れました」と言いつつ実は宿題をやっていないというズルも未然に防げます。

⑦映像を見せてもらいながらインタビューする

動画をライブで共有することも、むずかしいことではなくなってきました。おかげで、事前にビデオを撮ってもらうのではなく、映像を見せてもらいながら遠隔でインタビューをするという作戦も使えます。

もっと寄ったり引いたりして見せてくださいと、臨機応変にその場で状況を確認しながらインタビューできるのがこの作戦のよいところです。

しかし、**双方がインターネットに接続した状態を保ち、映像や音声を安定して送受信できる状態にしなければならないのがリモート調査の最大の難点**です。当日になってネットがつながらない、ライブ共有の仕方がわからない、画像が粗くてよく見えない、向こうの音が聞こえない、こちらの声が届かないといったトラブルに見舞われることのないよう入念な準備とリハーサルが必要です。

「Ｗｅｂ会議」や「オンラインミーティング」といった言葉で検索すれば、Zoom、Whereby、Google Meet、Microsoft Teamsなどリモート調査に使えるサービスがたくさん見つかります。各社がそれこそユーザー調査やユーザビリティ評価を重ねてしのぎを削り合い、どんどん使いやすくなってきていますので選択肢は豊富です。そうなるとまた、どれを選ぶかで悩むことになりますが、そんなときは**モデレーターが使い慣れたものを選ぶのがいちばん**です。事前に手引き書の用意やリハーサルを行ったとしても、当日すったもんだしたときに自分でトラブルシューティングできなければなりませんから。

7

手法選び　その3

「的」がぶれぶれの悲惨なグループインタビューになる

ユーザー調査と言えば「グループインタビュー」と思い込んでいる人は少なくありません。

「定性調査とは言っても、ある程度の人数は必要でしょう？」

「グループインタビューにすれば、人数をもうすこし増やせるじゃない？」

「テーブルに何人まで座れるの？　マックス埋めるなら1グループ6人ですね」

「1日何グループまでいけます？　6グループいけますか？　そうしたら36人ですよね。2日で72人。そのくらいの数字なら、みんな文句ないんじゃないの？」

グルインで機会探索をするのはむずかしいから、マンツーマンインタビューのほうをおすすめしようと思っていたのに、気づけばどうやって人数を最大化するかという議論になってしまっていることもあるくらいです。

グルインを全否定するつもりはありません。短時間でそれなりの人数の意見を聞き出せるという長所がこの手法にはありますし、ユーザー調査をまったくしないよりはぜんぜんよいです。しかし、人数を稼ぐことだけをねらったグルインはあまり意味がありません。そこまで人数が気になるなら定量調査に切り替えるべきです。どう説得をしても成果はなく、グルインをすることになった場合は、次のような対策を講じて挑みましょう。

①グループの傾向や軸を突き止められるよう調査の「的」を絞る

「グループインタビュー」のもともとは「Focus Group Interview」です。肝心の「Focus」が日本語では落ちてしまっています。これは「焦点」や「的」といった意味で、**「調査の的（目的）」と協力してもらう「ユーザーの的（属性）」というふたつの意味が込められています**。どちらの的も、絞らないと失敗します。

まずは「調査の的（目的）」の話。

1日で30人とか、40人とかの話を聞けてお得感のあるグルインですが、ひとりひとりの発言時間に置きかえて考えれば、それほどでもありません。正味100分を5人で割れば、1人の持ち時間はわずか20分足らず。その時間を有効に使うためには、調査の目的をガッツリ絞らざるを得ません。

ユーザー同士が少なからず影響をおよぼし合うというのも、グルインの欠点としてよく挙げられます。しかし、人間は社会的な生き物ですから、日常生活の中でもさまざまな影響を受けて意思決定したり、考えを改めたりしているはずです。グルインで、他の人の意見を聞いてから気持ちを変えたとしても、それはそれであり得ることです。大切なのは、**誰のどういう発言を受けて、誰がどのように意見を変えたのかをきっちり確認すること**です。個々人の意見や気持ちを深掘りすることに加えて、グループ内で起きた相互作用まで捉えられるようにインタビューを進めなければいけません。そのうえで、グループAは全体としてこういう傾向や意見が軸にあり、グループBとはこういう点で異なると言えればグルインは成功です。そして、そこまで持っていくために、調査の目的をガッツリ絞ります。

②「的」外れなユーザーが紛れ込まないように募集の条件を厳しくする

グルインは、**「的」から外れる人が同じグループに紛れ込まないよう慎重にリクルーティングすることを大前提とする調査手法です**。年齢や性別、家族構成、居住地、商品やサービスの利用状況、趣味、生活スタイル、価値観など、どんな属性に的を絞るかをバッチリ決めてからリクルーティングに臨みます。

しかし、リクルーティングの条件を増やして「的」を小さく絞り込めば絞り込むほど、ユーザーを集めるのが大変になりますから、翻って条件のほうをゆるめることになりがちで、それが失敗のもとになります。

たとえば赤ちゃん用おむつに関する調査で、赤ちゃんの月齢とお母さんの年齢のみに条件を限定したとしましょう。その結果、世帯年収に1,000万円も開きがある2人が同じグループに入ってしまったり、5人目の赤ちゃんを産んだばかりのお母さんと初産のお母さんとが同じグループになってしまったりする可能性が出てきます。子育てにかけられるお金や経験値に差があれば、商品やサービスを選ぶときの判断基準もちがってくるかもしれません。

グルインは、**各グループの中で共通する意見や傾向をあぶり出すと同時に、グループ間でそれらを比較して検証したいというときには理想的な手法**です。でも、ユーザーの属性が絞れていない状態で各グループに見られる共通点や傾向を探るのは無理がありますし、グループ間で比較をしても、あまり差が見られないという結果に終わってしまいかねません。

どんなに慎重にリクルーティングしても、当日、みなさんに自己紹介をしてもらってから的外れな人が混ざってしまっていることに気づく事態を完全に回避できないのがグルインのコワイところです。途中でお帰りいただくわけにいきませんから。

③「グループ」ではなく「ペア」でいく

グルイン用につくられたインタビュールームの多くは、数人のユーザーとモデレーターの全員が互いの顔を見ながらディスカッションできるように円卓を設えています。そして**モデレーターには、ユーザー全員の挙動や表情を目の端で捉えながらインタビューするというスゴ技が求めら**

れます。

参加者同士が和気あいあいと語り合える雰囲気ができあがると（それはそれで望ましい状態ではありますが）、それと同時にモデレーターの存在を忘れた参加者同士のコミュニケーションがはじまります。モデレーターが左端のユーザーから本音を聞き出そうと四苦八苦している隙を見て、テーブルの向こう側にいる2人が小声でなにやら話をしています。モデレーターには聞こえないので、こっちの対話をさえぎって内容を確認するべきかどうかもわかりません。かと言って「そこ、おしゃべりしなーい」と注意をするわけにもいきません。話をしに来てもらっているのに、おしゃべりを禁止するなんて本末転倒ですし、その一言で、せっかくできたよい雰囲気や参加者同士の関係性が壊れてしまうかもしれませんから。ではどうするかというと、**こっちの話に区切りがついたところで「さっきなにやらそこで盛り上がっていたのはどんなお話だったんですか？」と確認をはさむ**ことになります。モデレーターの腕の見せどころと言えばそのとおりですが、多人数を相手に場を切り盛りするのは本当に大変です。

思い切って2人まで減らしませんか？　しかも、**お友だち同士とか、ご夫婦とか、参加者同士の関係性がすでにできあがっている2人に対してインタビューをする「ペアインタビュー」が実はおすすめです。**こちらからの問いかけに対する1人の答えを聞いて、相手のそんな一面は見たことがなかった、そんな考え方をしているとは知らなかったと互いに対する興味が増し、いつの間にか2人でかなり深イイ話を繰り広げてくれたりするようになることがペアインタビューにはあります。

もちろん、これを機に仲たがいすることのないよう気をつかう必要はありますし、調査の目的に応じて、1人ずつ話を聞く時間もほしいとなるかもしれませんが、関係性のできあがっている2人なら、すこし待ち時間ができても嫌な顔をされる心配は少ないです。調査の的を絞るのも、ユーザーの募集条件を厳しくするのもむずかしいけれど、人数はもうすこし増やしたい。そんなときはペアインタビューを考えてみましょう。

場所選び その1

8

場所がなくてインタビューすらあきらめる

ユーザーインタビューをすることが決まったら、リクルーティングをはじめる前に場所を確保しなければなりません。

それこそ年度末の予算消化ねらいではじまったプロジェクトでは、都内のインタビュールームが軒並み満室で日程をおさえられず、調査を実施できなかったことは一度や二度ではありません。提案書やら見積書やら計画書やらをさんざん書いた挙げ句に「場所が見つからない」を理由に中止って……。「せめて延期にして」が通じないのが年度末あるあるです。

しかしぶっちゃけると、**インタビューなんてどこでもできます**。それなのに「インタビュールームなるものを借りるものだ」とか、「観察室がないと観察できない」と思い込んではいないでしょうか。設備の整ったインタビュールームを使うのが安心確実ではありますが、空きや予算がないときは次善の策を練りましょう。

①社内のミーティングスペースをおさえる

ユーザーとモデレーターが腰かけて対話できる空間があれば、本当にどこでもインタビューできます。借りられる場所や借りるお金がないなら、借りずに使える社内のミーティングスペースをまずは検討しましょう。

もしオンラインミーティング用のアプリを使って映像と音声を飛ばすことができれば、別の部屋を観察室に仕立てることもむずかしくありません。

ただし、**自社のスペースを使うということは、調査の背後にいる会社はうちです！とユーザーに宣言することに他なりません。**割のよいアルバイト代をくれる会社の人を前にして、ネガティブな意見を物おじせずにぶつけられる人は少ないです。いくら率直な意見を聞かせてほしいとお願いしても、たとえモデレーターが「この会社の人間ではない」と主張しても、効果はあまり期待できません。場所代と引きかえに、ユーザーの態度や発言が歪む可能性が出てくることをお忘れなく。

②ユーザーの自宅でインタビューする

ユーザーに来てもらおうとするから場所が必要になるわけです。ならば、こちらが出向けばよい。ユーザーのご自宅を訪問して、そこでインタビューをさせてもらうのが第2の策です。

ぞろぞろと大人数で行くとなると嫌がられてリクルーティングがむずかしくなりますし、大勢で取り囲んでのインタビューは緊張を強いることになりますから、**訪問は2〜3人に絞ります。**それ以上の希望者がいれば、やはり映像を飛ばして遠隔で観察できるようにする設営が望ましいです。

この作戦の難点は、一日に実施できる件数が減ることです。ユーザーに来てもらうなら一日で5〜6人にインタビューできますが、こちらが出向くとなると移動に時間がかかる分、セッション数を削るか、日数を増やさざるを得ません。人件費と場所代をてんびんにかければ、結局さほどの節約にならない可能性は高いです。

③リモート調査に挑む

電話という文明の利器を使います。固定電話しか選択肢がなかったころは、電話代もバカになりませんでしたが、スマートフォンの無料通話アプリを使えば、相手が固定電話の場合でもかなり安くかけられるようになりました。パソコンやスマートフォンから発信してスピーカーフォン機能を使えば両手が空くので、記録を取りながらインタビューすることもむずかしくありません。

よいことづくめに聞こえます。ならばいつでも電話インタビューでよいではないか、という気にすらなるかもしれません。しかし、短所もあります。

まず、日記調査と同じく、顔の見えない相手とのコミュニケーションのむずかしさがあります。**状況が許すなら、音声通話ではなくビデオ通話でインタビューをさせてもらいましょう。**行動観察を実現する手段のひとつとして、Zoom や Microsoft Teams といったオンラインミーティング用のサービスを使うことを「6 現場へ入り込めずに行動観察をあきらめる」で紹介しましたが、これをインタビューに使うのも一手です。

音声通話にしろビデオ通話にしろ、リモート調査の場合は、ちょっとしたしぐさや姿勢など、対面で話をするとき無意識のうちに活用している非言語コミュニケーション（ノンバーバルコミュニケーション）を頼りにくくなります。相手の発話を待ったり、促したりするときの間の取り方などもちがってきますから、対面の場合よりもひとつひとつのやり取りに時間がかかります。

通常の1・5倍くらい時間の余裕を持った計画を立てましょう。

また、テクノロジーへの依存が大きくなるのもリモート調査の大きな難点です。LINE のビデオ通話なら使ったことがあっても「Zoom ってなんですかソレ?」というユーザーは少なからずいるはずなので、新しいアプリをインストールすることに同意し、実際にインストールする手順を追える人にしか参加してもらえません。リクルーティングがむずかしくなるのはもちろん、**テクノロジーに疎いユーザーがごっそり候補から落ちてしまうことになります。**それが嫌なら、調査する側の都合は二の次にしてメジャーなサービスか音声通話を選択するのが妥当です。

いずれの方法を使うにしろ、**インストールの仕方、基本的な使い方、操作ミスをしたときの対**

処法などをまとめた手引き書をつくり、リハーサルを実施するのは必須です。ビデオ通話を使うなら、こちら側の様子が相手にどう見えるか、キーボードをたたいてリアルタイムに記録を取る音がユーザーにどのくらい聞こえるかといったユーザー側の視点をチェックし忘れないようにしましょう。同僚でも家族でもかまいません。誰かにお願いして通話をつなぎ、音と映像のチェックをユーザーとのリハーサルに先立って行います。

また、トラブルシューティングに失敗したときに備えて、次善の策（最後の手段は電話になります）を考えておくことも大切です。

場所選び　その2

9

観察に来た人が熱中症になってしまった……

観察室で依頼主のひとりが倒れてしまったことがありました。

冷房が苦手だというユーザーに合わせて、エアコンを入れずにインタビューをしていたら、観察室が蒸し風呂状態になっていました。観察室のほうが狭いうえに人口密度が高く、録画機材や観察者が持ち込んだパソコンの熱でガンガン暑くなったうえ、空調のコントロールは2部屋まとめてしかできず、おまけにコントロールパネルがインタビュールームのほうにあるという……。

会場を借りるなら、そんな非常事態を避けるための対策が必要です。**写真を見るだけで決めたりせず、かならず足を運び、次の3つを確認します。**

①駅からのアクセスだけでなく、ビルへの入り方まで確認する

「インタビュールーム」と銘打って貸し出しているスペースは、駅至近でアクセスしやすいところが多いですが、中にはかなり歩くところもあります。その分、割安にはなりますが、酷暑やゲリラ豪雨に見舞われて自分たちが苦労するのはもちろん、ユーザーが来ない……みたいな最悪の

展開にもなりかねないので要注意です。

意外と盲点なのが、**入館手続きの煩雑さ**です。週末や祝日は正面玄関が閉まるので裏口から入らないとならないとか、専用のカードが必要になるといったビルが増えています。裏口がわからなくて「迷いました」「遅れそうです」と電話がかかってきたり、「裏口につきました」と連絡を受けて迎えに行かなければならなかったりするとけっこう大変です。受付要員として人員を配置できるならたいした問題ではありませんが、少数精鋭で挑む調査なら、こうした些末にも思えることがじわじわと負担になってきます。

会場ないしはリクルーティング会社が、こうした受付業務を含めて引き受けてくれる場合がありますので、人手が足りない場合は外部のサービスを使うのも一手です。

②観察室の許容人数を確認する

多くのインタビュールームは、もともとグルイン用に広くつくられていて、マンツーマンのインタビューでは持て余すほどです。

それなのに、観察室のほうは手狭なところが案外多く、呼べる人数が制限されてしまう場合があります。ユーザーの生の声を聞いてもらうチャンスを逃すのは残念ですから、**場所を選ぶときには、観察室に何人まで入れるかをかならず確認しましょう**。

うっかりしがちなのは、調査チームのほうの数をカウントし忘れることです。記録係や機材担当など裏方を観察室に配置する場合には、その人数を忘れずに差し引きます。

③環境と設備（特に音！）を確認する

立派なマジックミラーを設えて、観察室からインタビュールームの様子を臨場感たっぷりに観察できるようになっているにもかかわらず、防音性が低くて声がつつぬけとか、インタビュールームから目を凝らせば観察室の様子が見えてしまうといった「つくるときにケチっちゃいましたね……」という場所もあるので、双方向からの確認が重要です。

中でも、**インタビュールームの音声を拾い、観察室へ届けるマイクの確認は欠かせません**。特に、心の内を実況中継してもらうシンクアラウド法を使う場合は、ユーザーがボソボソとつぶやく声までしっかり拾えるようになっているかどうか、マイクの性能チェックが重要です。ユーザーの声が観察室に届かなければ観察の意義が半減しますし、それを避けるべく「もっと大きな声で喋ってもらってください！」という指示がモデレーターに届くことになるのですが、これがなかなか難儀です。「もうすこし大きな声で話せますか？」とお願いすれば、多少は大きくなります。でも、もって数分。すぐにもとの声量に戻ってしまいます。それがその人の自然な姿なのだから仕方がありません。**ユーザーの努力に頼るよりも、マイクのほうの性能を上げて対処するのが唯一にして最良の方法です**。

グルイン用につくられたインタビュールームの多くは、室内の音声をまんべんなく拾うことに特化した無指向性のマイクを使っている場合が多く、マンツーマンインタビューや、ましてやシンクアラウド法を使った行動観察調査には向かない場合がほとんどです。なんらかの対処ができるかどうかを事前に確認し、場合によっては高性能の外付けマイクを新たに準備してもらうことなども検討します。

そして、空調です。冒頭のエピソードでもわかるとおり、**夏場の空調は死活問題**です。観察室を冷やすためにインタビュールームでユーザーが凍えなければならないとか、逆に観察に来た人が熱中症になってしまうとか、どちらもあってはなりません。調査にかかわってくれた人に、マイナスの印象を植え付けることにならないよう、たかが会場とあなどらず、細部まで気を配って選びましょう。

第2章

ユーザーを集める
リクルーティングの落とし穴

10

段取り　その1

ユーザーを集めるのに2週間もかかるの？

リクルーティングの方法が、実は意外と知られていません。

いちばん手っ取り早くて確実で、しかも安上がりなのは**専門の会社（「リクルーティング会社」と言います）に依頼すること**です。餅は餅屋。リクルーティング会社が独自に取りまとめている会員組織があり、そこに登録している「モニター」と呼ばれる人たちにアンケートを配信し、回答してくれた条件に合う人の中からより好ましいユーザーを選定します。

「つまり、リクルーティング会社に依頼すればすぐに集められるというわけか……」

と、早合点しないでください。

条件にバッチリ合う人にかぎって「この日のこの時間しか無理！」とかで、この人を取れば、こっちの人を諦めなければならないということがけっこう起こります。まるでパズル。くたびれますし、時間もかかります。さんざん苦労してパズルを解いて候補者を決めたのに、依頼主から

「なんで勝手に決めるんですか！」と怒られたこともあります。「え？　パズルそっちでやりたかったの？」と思いつつ、依頼主とともに最初からやり直した挙げ句、選抜されたユーザーが結局ぜんぶ同じだったときには時間を返せと思いました……。

短期間に効率よく、そしてミスなくユーザーを集めるための秘訣は次の3つです。

① 気が利くリクルーティング会社を選ぶ

どのリクルーティング会社に依頼するかを決めないことにははじまりません。「モニター　リクルーティング」で検索すれば候補がたくさん出てきますので、問い合わせます。

このとき、『2　ただ「やりたい」だけでは先へ進めない』の表2のような形にまとめたリクルーティングの条件を伝えて見積もりを依頼しますが、**あわせて「およその出現率」も出してもらうようお願いしましょう。**

「出現率」とは、リクルーティング会社が持っている会員組織の中に、対象条件に合う人がどのくらい含まれているかを示す比率を言います。聞けば、各社が持っているデータからおよその数字を割り出してもらえますし、こちらから聞かなくても、出現率を出したうえで適切な配信数と見積もりを出してくれるリクルーティング会社を選ぶのがひとつ目の秘訣です。

およその出現率を踏まえてからスタートすれば、集まらなくて困ったな……となる可能性を視野に入れられるので、いざというときに備えられます。

リクルーティング会社を決めたら、次は**スクリーナーの作成**です。**候補者を「ふるいにかける」ための質問と条件を書き出したものを「スクリーナー」と呼びます。**「調査票」や「条件票」といった表現も聞きますが、本書では「スクリーナー」を使います。このスクリーナーづくりを含めてリクルーティング会社におまかせすることもできます。そのほうが楽は楽だし、時間を節約することだけをねらうならありです。

調査者がスクリーナーをつくり、それをもとにリクルーティング会社がＷｅｂ上で回答できるアンケートの形式に落とし込むという役割分担も考えられます。集めたいユーザーのイメージは調査者のほうがより明確に持っているはずですから、リクルーティング会社がつくったスクリーナーをチェックして、修正を依頼してといったやり取りを考えれば、この分担のほうが効率よく進められる可能性もあります。

リクルーティングの内容や難易度にもよってくるので、どちらがよいとは一概に言えませんが、とにかくどちらがスクリーナーを用意するのかを明確にしないことにははじまりません。お互いに相手の出方を待つような無駄は避けましょう。

②マイルストーンを細かく刻む

リクルーティングは、コミュニケーションに伴うタイムロスを少なくするのが肝です。そのためには、マイルストーンを細かく刻みます。**いつまでになにを誰が済ませる必要があるのかを図**

図1

リクルーティングを効率よく進めるための マイルストーンを書き出した例

リクルーティング手順	1 月	2 火	3 水	4 木	5 金	6 土	7 日	8 月	9 火	10 水	11 木	12 金	13 土	14 日	担当
スクリーナー作成	░	░													調査者
スクリーナー共有		░													調査者>リクルーティング会社
アンケート配信準備		░	░												リクルーティング会社
アンケート挙動チェック				░											調査者
アンケート実施					■	■	■								リクルーティング会社
候補者リスト共有								░							リクルーティング会社>調査者
候補者選抜								░							調査者
選抜者リスト戻し								░							調査者>リクルーティング会社
アポ取り									░	░	░	░			リクルーティング会社
調査当日												■	■	■	調査者

1のようにはっきりと書き出して共有します。

候補者を選定するのに依頼主もかかわりたいという要望があれば、「候補者選抜」に参加してもらうことになります。その日のうちにリクルーティング会社へ選抜者リストを戻すためには、時間を決めてミーティングを設定しておくなどの工夫も必要です。

図1を見てわかるとおり、**2週間でもかなりぎりぎりのスケジュールです**。できるだけ多くのモニターに応募を検討してもらえるよう、週末直前の金曜配信を目指すのもポイント。しかし、同じように金曜配信を目指す調査が多いので、この最短のスケジュールでは請けてもらえないケースも増えてきています。

また、2週間では応募者が少なくて対応を迫られたときの時間的な余裕がまったくありません。できれば、もうすこしゆとりがほしいです。

逆に「1週間で集められます」と頼もしいことを言ってくれるリクルーティング会社もありますが、それは募集の条件が少ない場合だったり、スクリーナーを使いまわせたりする場合です。性別と年齢くらいの条件でとにかく人数を集めるだけなら1週間でできます。アンケートの配信から候補者リストの共有までを指して「1週間」と言っているような場合もありますので、認識にちがいがないかどうか確認してください。

③先に時間割を組む

リクルーティングをはじめるために、調査当日の時間割をつくります。**何月何日の何時から、何時間拘束されるのかをはっきりさせないとユーザーに応募を検討してもらえません**し、依頼主側も観察者を募ることができませんので。

では、12セッションのインタビューを計画するときを例に考えてみましょう。質の高いリサーチを重ねるには、休憩時間も大事です。昼食を取る時間もしっかり予定に入れて図2のような時間割を組むのが一例です。

お昼休みを1時間にして、朝のスタートを10時にしたり、夕方にも1時間の休みを入れてから夜のセッションを組んだりすることもあります。昼間にはなかなか来られない人たちを対象とす

図2

12セッションのインタビューを行うときの時間割例

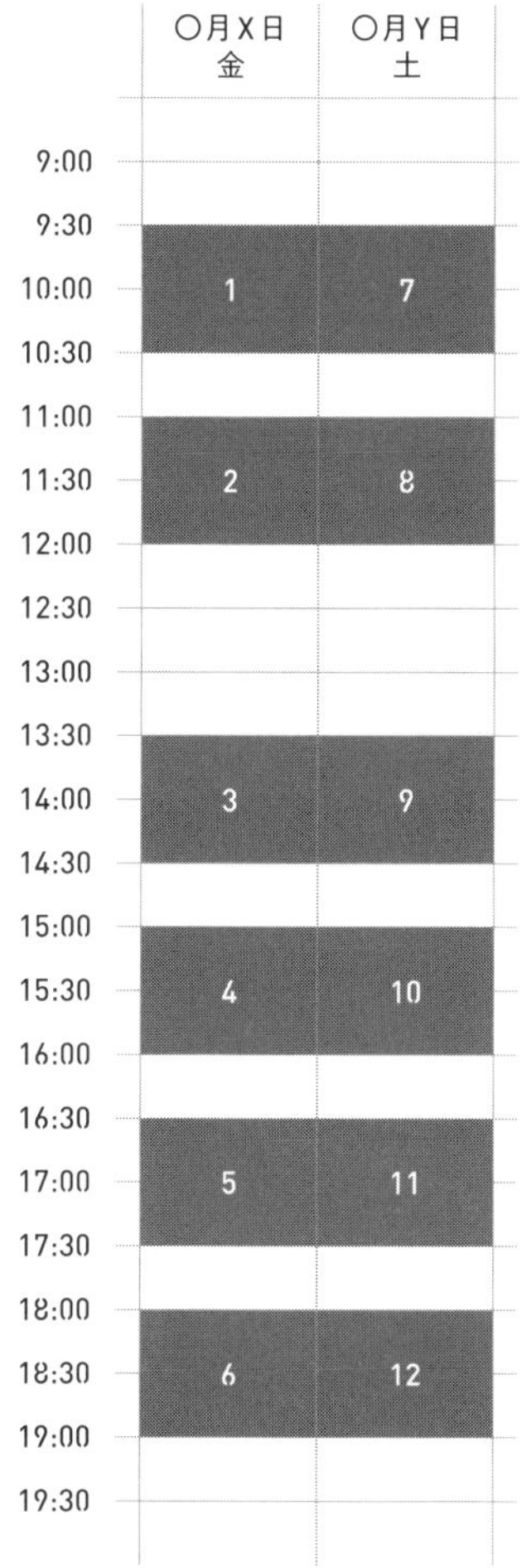

60分のセッションを12件、
2日間で実施するときの時間割

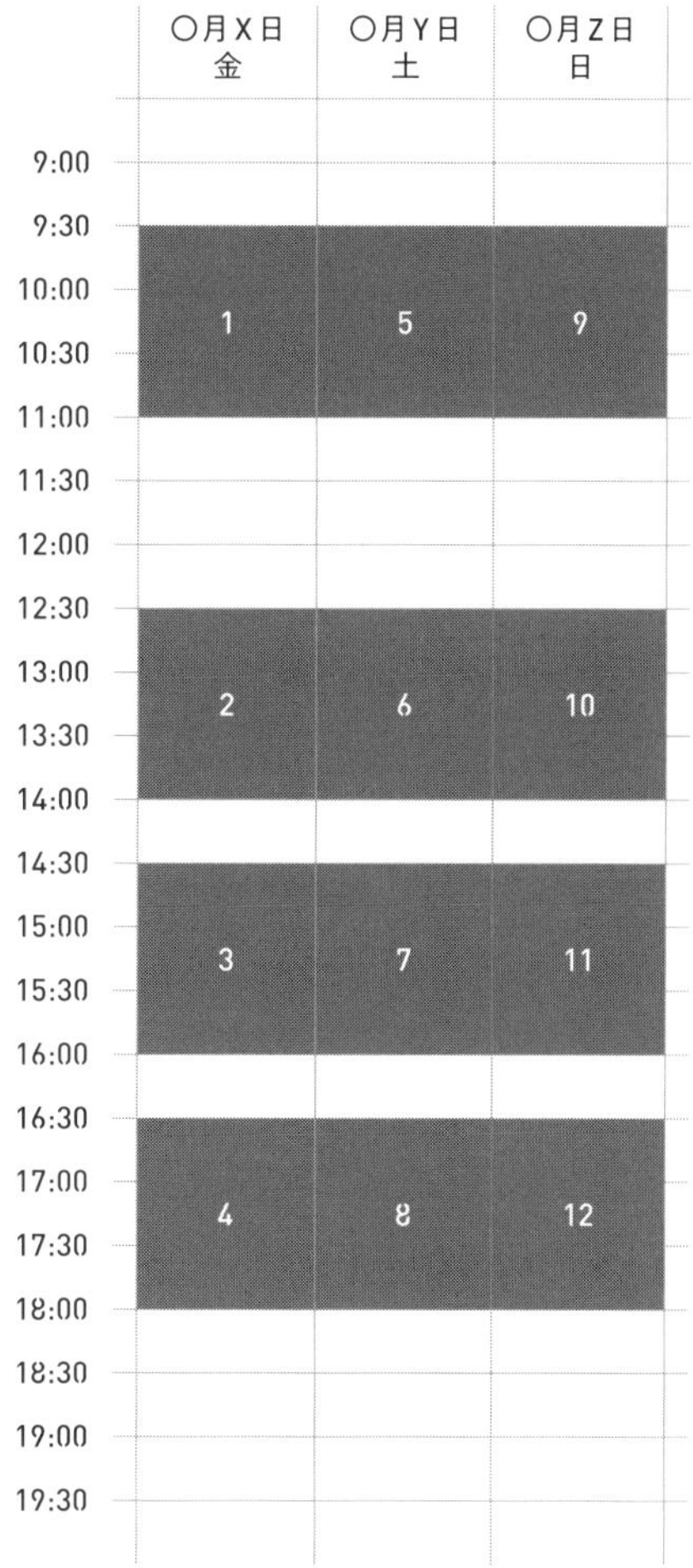

90分のセッションを12件、
3日間で実施するときの時間割

る場合には、夕方と夜のみの枠にして日数を多めにするといった変形もよく使う作戦です。

ちなみに、セッションとセッションの間にある30分は休憩時間です。と言いたいところですが、実際には次のセッションに備えてもろもろの準備をしたり、手元のノートを整理したり、観察室で見ていた人に声をかけられてちょっとディスカッションしてしまったりしているうちに、「次のユーザーさんがいらっしゃいましたー」と言われてトイレにすら行きそびれることも少なくありません。**慣れないうちは、1日のセッション数を少なくして、間の休憩時間を1時間とっておくのが安心です。**電話やテレビ会議システムなどを使って実施するリモート調査の場合も、機材トラブルですったもんだしてインタビューが長引いてしまう危険性が高いので、通常以上に余裕を持ったスケジュールを組みましょう。

訪問調査や屋外での行動観察調査の場合は、移動や準備にかかる時間が読みにくいので、リクルーティングの段階では**「午前・午後・夕方・夜」のようなざっくりとした枠**にしておきます。選抜した候補者とアポ取りをする際に双方の都合をふまえて時間を決めます。このとき、移動時間ばかり気にして食事を取る時間を忘れがちなので注意しましょう。よい調査を実施するには、しっかり腹ごしらえすることも大切です。

段取り　その2

11 「まず5人」ですよね？

何人のユーザーを集めるのかを決めないとリクルーティングをはじめられません。悩みどころです。そして、よく聞くのがこちらのセリフ。

「5人で十分って話をよく聞くので、今回も5人でいいですよね？」

こうしていきなり人数を決めにかかる失敗はあるあるです。**「5人で十分」とする根拠はうやむやな場合が多い**です。たしかに、5人のユーザーへのインタビューなら一日でサクッと終わらせられるので最初の一歩としては悪くないのですが、あとになってエライ人から「なんで5人なの？」と聞かれて説明できないのはマズイです。つっこまれてうろたえることのないように備えましょう。

表1

「読書に関するインタビュー調査」のために
ユーザーを集めるときの条件（再掲）

●必須条件

・平均して月に1冊、年間で12冊以上の読書をしている男女
・ほぼ毎日読書をしている人（紙／電子書籍どちらでも可）
・直近1ヶ月以内に1冊以上の本(電子書籍を含む)を自分で購入した人
・電子書籍を読むためのデバイスやアプリを所有している人

●優先条件

・図書館を併用している人を若干名含みたい
・電子ブックリーダー（電子書籍を閲覧するための専用端末）を所有している人を優先する

●除外条件（以下の条件に合致する人は対象外とする）

・読書が嫌いな人
・読書傾向がマンガ、雑誌、写真集に偏っている人
・市場調査等に携わっている人
・出版、取次、書店等、書籍に直接かかわる仕事をされている人

①人数より先にセグメントを固める

「セグメント」というのは、行動や価値観が似ている人のグループのことです。たとえば「読書を行うときのコンテクスト（文脈）」を探索しようとする調査であれば、紙の本も電子書籍も片っ端からガンガン読んでいますという人をひとつのセグメントと捉え、表1の「必須条件」をすべて満たす人を募集するのが一例になります。

もし、販売ではなくレンタルというサービスに注目して、本を買って読む人と借りて読む人の差分をしっかり捉えることが目的に加わるなら、「図書館を併用している人を若

表2

２つの条件でセグメントを分けた場合

図書館の利用状況	読む書籍の形態		
図書館を利用する	(1) 紙のみ	(2) 電子のみ	(3) 紙と電子
図書館を利用しない	(4) 紙のみ	(5) 電子のみ	(6) 紙と電子

千名含みたい」という優先条件を必須条件に格上げし、図書館の利用頻度に応じてセグメントを分けます。

さらに電子書籍を図書館で借りるサービスの利用状況まで深く理解したいなら、次のようなさらなる分割も考えられます。

- 図書館で紙の書籍と電子書籍の両方を借りる人
- 図書館で電子書籍のみ借りる人
- 図書館で紙の書籍のみ借りる人

以上２つの条件を掛け合わせると表２のような６つのセグメントができあがります。

セグメントが増えれば、募集する人数も比例して増えることになりますし、リクルーティングもむずかしくなります。お金も時間も余分にかかります。セグメントを分けてユーザーを集める意味が本当にあるか、よく議論して決めてください。

②セグメントごとに何人集めるかを決める

「5人で十分」の根拠として『5人のユーザーでテストすれば十分な理由』[*1]という記事がよく挙げられますが、これはあくまでもユーザビリティテストの話です。ものづくりに着手する前の段階で探索的に、あるいは仮説を検証すべく実施するユーザー調査と、いよいよ世に出しますという段階で商品やサービスを評価することを目的に実施するユーザビリティテストは別物ですから、この記事をよりどころに「5人で十分」とは言えません。

と言いつつ、人数を増やせば得られる情報量も比例して増えつづけるわけではありませんから(収穫逓減の法則)、**「まず4~5人」というのはよくある落としどころ**です。インタビューを重ねるうちに、「これはさっきも出た話だな……」と感じる対話が増えていき、「お、その話は新しいぞ！」という発見が減っていきます。そして4人目くらいから、すこしずつ傾向が見えはじめるというのが経験則です。

セグメントが複数ある場合は、セグメントごとに「4~5人」が必要です。先の例のようにセグメントが6つになれば、単純計算で6セグメント×4人=24人のユーザーを集めることになります。途端にすごい数ですよね？　ですからセグメントを分ける必要が本当にあるかどうか、議論がいるのです。表2の場合であれば、(1)(2)(4)(5)の文脈については(3)と(6)のユーザーからデータを集められるようインタビューの内容を工夫して、2セグメント×4人=8人に減らす作戦も取れそうです。

＊1　https://u-site.jp/alertbox/20000319

12

段取り その3

謝礼が高すぎて怪しまれ、応募してもらえない

貴重な時間を提供してもらい、日頃は考えないことを一生懸命に考え、語ってもらうことに対して謝礼を準備するのは当然のこと。かといって、**度を越してつり上げるとかえって逆効果に**なります。

予算を潤沢にお持ちの外資系企業からの依頼で、ごくふつうの大学生を集めたときのことです。**60分のインタビューに12,000円の謝礼**という設定でした。大学生から見たら、なかなか割のよいアルバイトだろうからすぐに目標人数を達成できると思っていたら、意外にも苦戦しました。理由が気になったので、あるユーザーに探りを入れてみたところ「なにかとんでもないことをやらされるのではないかとドキドキしていたけれど、本当にただのインタビューでしたね。この謝礼の額はおかしいって、ネットの掲示板で噂になってましたよ」と言われてこちらが驚きました。なるほど、そんな掲示板があるのか……。

いずれにしても、ユーザーの募集をはじめる前に謝礼の額は決めなければなりません。怪しまれない適切な範囲で金額を決めるためには3つのポイントがあります。

①相場から逸脱しない程よい金額に設定する

受けた恩義にかならず報いなければならないという義務感を人は強く持っています。人類が平和に社会生活を営めるようになるために大きな貢献をしたこの心理作用は「返報性のルール」と呼ばれます。報酬が大きくなればなるほど、返さなければならないと感じる恩義は大きくなりますから、大学生たちが「なにをやらされるのだろう……」と不安に思ったのも無理はありません。

謝礼の額を決めるときには、相場を踏まえるのがまず肝心です。**60分で5,000円前後、90分で8,000円前後、自宅への訪問調査の場合は、滞在時間にもよりますが10,000円前後に設定します。**

会場へ来てもらう場合には**交通費込み**です。交通費を別にするとお渡しするときの手間が増えるので、交通費込みが鉄則。ただし、よっぽど遠方から来てもらう場合は別にします。

訪問調査の場合はユーザーが交通費を負担する必要がないにもかかわらず、割高な金額になります。他人を家に招き入れることへの精神的負担の分が上乗せされると考えてください。

医師や弁護士をはじめとする専門職や見つかりにくい職業の方への謝礼は、数万円ということもあります。わたしの経験した過去最高額は、60分のインタビューに協力してもらった心臓外科医への謝礼60,000円です。いずれにしても、リクルーティング会社にユーザーを集めてもらうなら、募集の条件に合わせた適切な金額がどのくらいかを聞いて、従うのが無難です。

②調査の内容に応じて、プラスアルファを設定する

調査に先立って宿題をやってもらったり、家にあるなにかを持ってきてもらったり、調査を終えたあと、日を改めて電話インタビューに答えてもらったり。そんな時間外の協力を期待する場合は、それに対する謝礼を別に設定します。内容次第ですが、**宿題ならプラス2，000円、なにかを持参してもらう場合は1点につき500円、後日の電話インタビューならプラス3，000円**といった具合です。

訪問調査の場合も、家族の同席を期待する場合は別の金額設定にします。たとえば、**おひとりで参加の場合は10，000円、ご夫婦で参加いただける場合には15，000円**とします。単純に2倍でもよいですが、訪問できる時間が2倍になるわけではありませんし、先にも書いたとおり高ければ高いで怪しまれる懸念も出てきますので、1.5倍くらいが落としどころです。

お子さんの同席を期待する場合や、そもそもお子さんが調査の対象の場合は、親に対して通常に等しい謝礼を払いつつ、お子さん本人がもらってうれしい**「おみやげ」を準備するとよいでしょう**。お菓子のような些細なものでも、お子さん本人が受け取れるものがあるのとないのとでは反応がまったくちがいます。

③ユーザーの心理をついた明朗会計にする

なにに対していくらの謝礼を支払うのか、明朗会計を心がけます。

「宿題をやれば余分に2，000円もらえるということは、当日の謝礼8，000円と合わせて10，000円になるな……」と思えば、宿題もきっちりやろうと思ってくれるはずです（足して大台に乗るようになっているのもポイント）。これがわずか500円だったとしたら、「8，000円で十分だから宿題はパスして、忘れたことにしちゃおう……」と考える人が出ないともかぎりません。

後日、追加の課題をやってもらったり、電話インタビューに答えてもらったりする場合も同様に切り分けた金額設定にしますが、このときのポイントは、**謝礼の支払いを後日まとめて行うこと**です。振り込みの手間や手数料負担は発生しますが、最後までしっかり協力してもらうための必要経費です。

ユーザーの多くは善意に満ちた人たちです。それでも、忙しいときはかんたんに済ませたいと思うし、面倒なことはパスしてしまいたいと思うのが人間です。「逃がさないように」と言うと言葉が悪いですが、本音です。金額ひとつ決めるにも、ユーザーの気持ちを読むのが大事です。

リモート調査の謝礼はどうする？

借りられるインタビュールームが見つからないときや苦労して見つけたユーザーが遠方にお住まいの場合はリモート調査という次善策を取ります。こうした直接お会いできないユーザーへの謝礼にはいくつかの選択肢があります。

1．銀行への振り込み
2．クレジットカード会社が発行している商品券やＱＵＯカードなどの郵送
3．Amazonギフト券などＷｅｂチケットタイプのギフト券の電子送付

1は、金銭を受け取った記録が残るという理由で嫌われる傾向があります。また、家族に知られることを懸念するユーザー（少ないおこづかいでがんばっているお父さんなど）は1や2を嫌がります。金額を自由に設定できるうえ、郵送の手間もなくなるので送る側としては3が便利でうれしい選択肢ですが、使ったことのないユーザーにはハードルが若干高めです。利便性から問答無用で3を選ぶのではなく、ユーザーに選んでもらうくらいの柔軟性がほしいところです。少なくとも、募集の段階で謝礼の額だけでなくお渡しする方法についても明示する配慮をお忘れなく。

13 スクリーナーづくり　その1

「なんかちがう……」って感じの人が来ちゃった

カーナビの利用状況を探る調査でした。運転席から手を伸ばしてカーナビを操作する様子を想像しながら話を聞いていましたが、右利きなので右手でどうのという話になったところでふと「左ハンドルの車にお乗りなんですか？」と聞いたら、こんな答えが返ってきました。

「いえ、助手席から操作してるんで……」

え？　聞けば、免許は持っているけれど取得以来ずっとペーパードライバーで、運転しながらカーナビを操作するどころか、運転すらしていないことが判明しました。失敗の原因は、運転免許証の所有を確認するだけで、日常的に運転しているかどうかまでを確認しなかったことです。やっちゃいました。何人かリクルーティングをやり直す羽目になって大赤字です。そんな厳しい展開にならないよう、**条件を満たす人を確実に見極めるための質問づくり**に挑みます。

①応募要領をまとめる

せっかく応募してもらってもまっ先に落選決定という基準があるはずです。読書の調査なら「読書が嫌いな人」、介護の調査なら「介護に無関係で無関心な人」、車の調査なら「免許を持っていない人やペーパードライバー」などです。そういう人たちにはそもそも応募を検討してもらう必要がありません。それをすぐに読み取ってもらえるように応募資格をはっきりさせることが大切です。

また、録画や録音をする場合はそれを承諾したうえで応募してもらわなければなりません。会場調査の場合は当日そこまで来られる人でなければ、どんなに望ましいユーザーであってもこちらからお断りせざるを得ません。謝礼も応募を検討する人にとっては大切な情報ですから、先に知らせる必要があります。

つまり、次の2つの情報をわかりやすく提示して、気持ちよく、納得のうえで応募してもらえるように取り計らいます。

- どういう人に応募してもらいたいのか
- 選ばれたときに同意してもらう必要のある事柄

読書に関する調査の応募要領をまとめると次のようになります。

読書がお好きな方を対象に読書に関するインタビュー調査を実施します。以下の条件に該当する方で、興味をお持ちいただける方は、アンケートにご回答のうえ、ご応募ください。協力をお願いする方には4月20日ころメールにてご案内をさし上げます。選考にもれた方への連絡は省略させていただきますのでご了承ください。

●応募資格（以下のすべてに該当し、1人で参加いただける方を募集します）
・読書がお好きな方（ジャンルは問いません）
・紙の本と電子書籍の両方をお読みになる方

●実施日時と場所
・4月26日（金）〜27日（土）
・東京都内のインタビュールーム（表参道駅近辺を予定）

●謝礼（当日、現金でお渡しします）
・6,000円（交通費込み）

●その他
・インタビューの様子を録画・録音させていただきますが、本調査の目的以外での再利用や個人を特定できる形で第三者と共有することはありません。録画・録音にご同意いただけない場合は参加をお断りする場合があります。

ポイントは応募資格を多くしないことです。絶対にゆずれない条件だけに絞ってください。そのほうがたくさんの人に応募を検討してもらえます。

② 応募資格の判断基準を質問に置きかえる

応募資格を読めば、読書嫌いの人は応募してこないと期待したくなりますが、「好き／嫌い」や「多い／少ない」などの感覚的な基準は人それぞれです。**調査を実施する側が考える客観的な基準に見合うかどうかは、アンケートへの回答で確認する必要があります。**

第1章でユーザー募集の条件を検討する際、あわせて判断基準まで議論しておくことをおすすめしました。**この判断基準がアンケートで使う質問の骨子になります**（↓29ページ）。

読書量が多いか少ないかの判断は、「日本人の平均年間読書本数（12～13冊）」を超えれば「多い」と判断することにしたとしましょう。これを確認するためには、「一年間に読む本の冊数を教えてください」と聞くのが直接的です。

しかし、しっかり記録を取っている人でもなければ即答はむずかしいでしょう。おそらく「月に平均して1冊くらいは読んでいるから、年間にしたら12冊くらいかな？」と考えて年間の読書総数を算出するはずです。一ヶ月という短いスパンに置きかえて考えるほうが記憶のたどり方としては楽だからです。ならば図1のQ6（↓99ページ）のように、**一ヶ月の読書数を聞くほうがかんたんで確実です。**

また、回答する立場からすると、自分で数字やテキストを入力するよりも選択式になっていたほうが楽です。候補者を絞り込むときにも選択式回答のほうがかんたんですから、**選択肢を提供できる質問は選択式にする**のが理想です。この場合、年間の読書本数が11冊未満の人はふるい落とすと決めているわけですから、一ヶ月の読書量が1冊未満であれば条件に合わない計算になります。

判断するためには「1冊以上」と「1冊未満」のふたつの選択肢があれば事足りますが、読書量の多い人に話を聞ければ、コンテクストの幅が広がることも期待できるので、あえてすこし余分に選択肢を設けてあります。

同じように、各条件の判断基準にしたがって問いをつくっていきます。**ひとつの判断基準の判定をひとつの質問で行えるようにする**のが目標です。質問数が少ないほうが、最後まで回答してもらえる確率が上がるからです。

たとえば、図書館を利用している人の中で電子書籍を借りた経験を持つ人を選抜したいときの問いのつくり方を考えてみましょう。

「図書館で本を借りることはありますか?」と聞いたうえで、「借りる」と回答した人にのみ、借りる本の中に電子書籍も含まれているかどうかを聞く次の質問へ進んでもらう流れをまっ先に思いつくと思います。しかし、図1のQ11（↓99ページ）のように選択肢を並べれば、質問をひとつにまとめられます。

③回答に迷わせない質問文と選択肢になっているかを確認する

質問は次の3種類に分けられます。図1で各質問文の末尾に記してある記号がこれにあたります。

- SA（シングルアンサー）…選択肢の中からひとつだけを選んでもらう質問
- MA（マルチプルアンサー）…選択肢の中で該当するものをすべて選んでもらう質問
- OA（オープンアンサー）…選択肢を設けず、回答者に書き込んでもらう質問

SAの質問の場合、選択肢の前にはラジオボタンが置かれます。MAの場合はチェックボックスです。ただし、それらのちがいを理解している回答者ばかりとはかぎりません。**SAの場合は「～ひとつお選びください」、MAの場合は「～すべてお選びください」と質問文にも書くようにすると気が利いています。**

質問や選択肢の意味がわかりにくければきちんと回答できません。Q8で電子ブックリーダーには「Kindle や Kobo など電子書籍を閲覧するための専用端末」と、タブレットには「iPad など電子書籍の閲覧以外の用途にも対応する端末」と説明を添えたのは、意味を正しく理解して選

図1

表1（→84ページ）の条件に合致する人を取捨するためのスクリーナー

Q1　ご自身のご職業は次のどれにあたりますか？（SA）

> 迷わず回答できるように簡潔でわかりやすい質問にする

- ◯ 会社員
- ◯ 公務員
- ◯ 自営業
- ◯ 会社役員
- ◯ 自由業
- ◯ 専業主婦（夫）
- ◯ パート・アルバイト
- ◯ 学生（>対象外）
- ◯ 無職（>対象外）
- ◯ その他【具体的に記入】

> ふるい落とすための質問はなるべく前半に置く

Q2　ご自身のお仕事を具体的に教えてください。（OA）

> OA（自由記述）の質問にはなるべく回答例を添える

回答例：【家電製造業の会社】で、【商品企画】に携わっている
・【　　　　　　　　】で、【　　　　　　　　】に携わっている（>除外条件に合致する場合は対象外）

Q3　読書はお好きですか？　お気持ちにいちばん近いものをひとつお選びください。（SA）

- ◯ 好き
- ◯ どちらかというと好き
- ◯ どちらかというと嫌い（>対象外）
- ◯ 嫌い（>対象外）

> SAには「ひとつお選びください」、MAには「◯つ（すべて）お選びください」と質問にも書く

Q4　ご自分で購入して読む本のカテゴリー上位3つを多いものから順に3つお選びください。（MA）

- □ マンガ（A）
- □ ライトノベル
- □ 小説・文芸
- □ ビジネス
- □ 科学・テクノロジー
- □ 趣味・実用
- □ 雑誌（B）
- □ 写真集（C）
- □ その他【具体的に記入】
（>ABCの2つ以上が選ばれている場合は対象外）

> 選択肢に抜け漏れがある可能性を考慮して「その他」を用意する

Q5　ご自身の読書頻度でもっとも近いと思うものをひとつお選びください。（SA）

- ◯ 毎日かならず読んでいる
- ◯ ほとんど毎日読んでいる
- ◯ たまに読んでいる（>対象外）
- ◯ ほとんど読んでいない（>対象外）
- ◯ まったく読んでいない（>対象外）

Q6 一ヶ月に読む本の冊数を教えてください。(SA)

○ 5冊以上
○ 2~4冊
○ 1冊
○ 1冊未満（>対象外）

Q7 読む本の形態を教えてください。(SA)

○ 紙の書籍と電子書籍の両方を読む
○ 電子書籍のみ（＝紙の書籍は読まない）（>対象外）
○ 紙の書籍のみ（＝電子書籍は読まない）（>対象外）

Q8 電子書籍を読むときに使うデバイスをすべてお選びください。(MA)

□ スマートフォン
□ 電子ブックリーダー（Kindle や Kobo など電子書籍を閲覧するための専用端末）（>優先）
□ タブレット（iPad など電子書籍の閲覧以外の用途にも対応する端末）
□ デスクトップパソコン
□ ノートブックパソコン
□ その他【具体的に記入】

必要に応じて説明を添える

Q9 Q8で選んだデバイスを調査当日ご持参いただけますか？(SA)

○ 持参できる
○ 持参できない

Q10 最近自分で購入した本（電子書籍を含む）を教えてください。(OA)

・ タイトル：【　　　　　　　　　　】
・ 著者：【　　　　　　　　　　】
・ 価格：【　　　　　　　　　　】円
・ 購入場所：【　　　　　　　　　　】
・ 形態（紙または電子書籍）：【　　　　　　　　】
・ 購入日：【　　　】月【　　　】日ころ（>1ヶ月以上前の場合は対象外）

Q11 図書館の利用状況を教えてください。(MA)

□ 紙の書籍を図書館で借りることがある
□ 電子書籍を図書館で借りることがある（>優先）
□ 図書館は利用していない（>Q13へ）

分岐ポイントをわかるようにしておく

Q12（図書館で本を借りる方のみ）最近図書館で借りた本を教えてください（OA）

・ タイトル：【　　　　　　　　　　】
・ 著者：【　　　　　　　　　　】
・ 形態（紙または電子書籍）：【　　　　　　　　】

Q13 ご参加いただける日時をすべてお選びください。(MA)

□ 4月26日（金）　10:00 - 11:30
□ 4月26日（金）　13:00 - 14:30
□ 4月26日（金）　15:00 - 16:30
□ 4月26日（金）　17:00 - 18:30
□ 4月27日（土）　10:00 - 11:30
□ 4月27日（土）　13:00 - 14:30
□ 4月27日（土）　15:00 - 16:30
□ 4月27日（土）　17:00 - 18:30
□ 参加できる日時がない

択してもらうためです。**自分たちにとっての「日常語」が、ユーザーにも同様に響くとはかぎりません**。誤解の可能性が感じられる言葉づかいを避け、場合によっては説明を添えましょう。

選択肢から選べるようになっていれば、たしかに回答しやすいですが、そこに並んでいる選択肢に不足があって、自分が選びたいものを選べない状態だったとしたらどうでしょう？ 迷った結果、適当な選択肢にチェックをつけてしまうかもしれません。こちらでどれほど慎重に選択肢を用意したつもりでも、ユーザーには「ふさわしいものがない」と見える可能性があります。そんなときに備えて**「その他」を置いておくことも重要**です。

④分岐ポイントを明確にする

回答に応じて次にくるべき質問を変える、つまり「分岐」させる必要が出てくる場合があります。条件に合わない選択肢を選んだときに「対象外」としてふるいにかけるのも「分岐」のひとつです。飛ぶ先は「ご協力ありがとうございました」と謝意を伝えるラストの画面になります。ここがまちがっていると、条件に合わないユーザーが紛れ込んでしまう危険が高まります。

サンプルではQ11が該当します。「図書館を利用していない」を選んだ場合は、Q12を飛ばしてQ13へ進ませるという指示が記されています。

必須条件や除外条件が厳しくなれば、その分、分岐の数が増えます。配信前に分岐がまちがいなく動くようになっているかどうかをチェックするのが実はけっこう大変ですので、**分岐の条件がどこにあるのかを迷わず確認できるようにスクリーナーに書いておきましょう**。これは、リクルーティング会社とのコミュニケーションを効率化するための秘訣でもあります。

⑤「対象外」の判断に使う質問は前半に置く

ふるい落とすための質問は、できるだけ前半に配置します。

回答者の立場で考えてみてください。さんざん回答してから「条件に合いませんでしたー、ごめんなさい」と言われるのは不愉快ですよね？　「もっと早くに落っことせよ」と思うのではないでしょうか。

そういうことがつづくと、アンケートへの回答意欲が下がります。今回の調査ではふるい落とすことになっても、将来の調査では理想的なユーザーになる人かもしれません。ユーザーあってのユーザー調査ですから、回答してくれる人たちの気持ちに寄り添うことが大切です。

⑥最小限の質問で自然な流れをつくる

興味を持ってくれた人に最後まで回答してもらえるようにするために、**質問の数はできるだけ少なくして、ポンポンとリズムよく答えられる流れをつくりましょう**。面倒になって途中で回答をやめてしまったり、後半適当に答えて済ませてしまったりする人の出現を阻止するのがねらいです。

リクルーティング会社に依頼するときは質問数によっても値段が変わりますので、質問数をおさえれば予算の節約にもなります。

先の例では条件に書かれていませんが、願わくは男女が半々くらいになるようにしたいとか、年代をばらけさせたいといった希望をひそかに持っているかもしれません。というか、多くの場合はそうだと思います。年齢や性別などの基本的な属性情報は、リクルーティング会社が把握している場合が多いので、スクリーナーに敢えて項目を立てる必要はありません。ただし、候補者を選定してから「できれば男女半数ずつに……」みたいな条件の追加は反則です。**希望があるなら条件として最初から伝えておきましょう。**

また、スクリーナーをつくるときにはつい欲張って「ついでにコレも聞いておこう」と考えてしまいがちですが、**ここで準備する質問は、候補者をふるいにかけて適切なユーザーに絞り込むためのものに限定すべき**です。判定に関係しない質問は調査当日に回すのが鉄則です。表1は、各条件を判定するための質問がどれにあたるかをわかるようにした対応表です。Q12以外の質問がすべて判定に必要なものであることがわかります。

⑦参加できる日時を複数選んでもらう質問で締める

リクルーティングをはじめる前に当日の時間割を組みましたよね？　その中でどの枠なら都合

表1

募集条件とスクリーニング質問の対応表

●必須条件	判定質問
・平均して月に1冊、年間で12冊以上の読書をしている男女	Q6
・ほぼ毎日読書をしている人（紙／電子書籍どちらでも可）	Q5
・直近1ヶ月以内に1冊以上の本（電子書籍を含む）を自分で購入した人	Q10
・電子書籍を読むためのデバイスやアプリを所有している人	Q7,8,9
●優先条件	
・図書館を併用している人を若干名含みたい	Q11
・電子ブックリーダー（電子書籍を閲覧するための専用端末）を所有している人を優先する	Q8,9
●除外条件（以下の条件に合致する人は対象外とする）	
・読書が嫌いな人	Q3
・読書傾向がマンガ、雑誌、写真集に偏っている人	Q4
・市場調査等に携わっている人	Q1,2
・出版、取次、書店等、書籍に直接かかわる仕事をされている人	Q1,2

がつくかを教えてもらうための質問をスクリーナーの最後に置きます。図1ではQ13です。かならず複数選択できるようにしてください。

リクルーティング会社に依頼している場合は最後のアポ取りまでやってくれますから、お任せしましょう。アポ取りを自分で行う場合は、選んでくれている日時が少ない人から順に連絡します。「いつでも大丈夫」な人のアポ取りは後半に回して、手際よく全枠を埋めるのを目指します。

14

スクリーナーづくり　その2

「あたり前」の想定が食いちがってドタバタする

細かい条件に気を取られていて、大前提の条件をユーザーに伝えそこねてしまうと残念な失敗につながります。

たとえば、「このあと、一緒に食事に行くので……」と奥様を同伴したり、「どうにも預ける先が見つからなくて……」とお子さん連れでいらしたりした人もいました。たしかに「1人で来てください」という条件は書かなかったけれど、そこはあたり前にそう受け取ってもらえるものと信じて疑いませんでした。

こういう失敗を避けるための細々とした対策は次のとおりです。

①「1人でご参加いただける方」と書いておく

奥様を連れて来た方に「1人で来いとは書いてませんでしたよ」と言われたのは、目の覚める経験でした。

育児中のお母さんなど1人で来られない事情を抱えるユーザーを集める場合を除いては、「1

人でご参加いただける方」という条件を応募要領として明示するか、「ご家族やご友人の同伴はご遠慮ください」と書きましょう。

ご自宅を訪問する場合やリモート調査のときも同様で、ご家族にも居てほしいのか、居られては困るのかをはっきりさせます。そうしないと、お子さんがピアノの練習をはじめたり、室内犬がギャン鳴きしてどうしようもなくなったり、苦手な猫にまとわりつかれて死にそうになったりしますので。

② 本人確認のため、身分証明書を持参してもらう

やんごとなき事情で行けなくなったというユーザーが、代理を送り込んできたことがありました。「穴をあけては申し訳ない」と、むしろ善意で気をつかってくれたようです。

アンケートへの回答にもとづいて慎重に人選しているとは知らないユーザーは、抽選にあたったくらいのノリで「ドタキャンして今後の当選率が下がったらイヤだな……」なんて考えることもありそうです。

また、最初から悪意を持ってなりすまそうとする人もいないとはかぎりません。

対策は**身分証明書を持ってきてもらうこと**です。数千円の謝礼を目的に公文書偽造までする強者は（たぶん）いませんから、これだけで悪意を持ったなりすましは排除できます。

③自宅訪問の場合、「共有スペース」はNGであることを書いておく

自宅に上がり込んで生活空間を見せてもらうつもりで訪問したのに、最上階のラウンジみたいなところに通されて、結局ご自宅へうかがえなかったことがあります。交渉を試みましたが、「うちは困る」の一点張りで、時間を取られるばかりだったので、結局そのラウンジでお話をうかがいました。

快適な個室空間ではありましたが、こちらにとっては訪問の意味なし。交渉の時間も無駄になりましたし、完全なる敗北です。

以後、マンションの共有スペースなどではなく、「ご自宅に上がること」を忘れずに書き、それに同意できる人のみ採用するようにしています。

15

機縁法の活用

「そんな人、すぐに見つからないって！」という人を見つけるには

「ドローン操縦者向けの教育アプリを開発するにあたり、本格的にドローンフォトグラファーとして仕事をしている人の話を聞きたい」
「マンガ制作の現場にいる人から描画アプリに対して抱えている不満を聞き出したい」
「プロ向けの照明機材や部品を扱うメーカーのWebサイトで、プロがどんな情報収集をするのかを確認したい」

そんなニッチな商品やサービスの場合、ユーザーの絶対数が少ないのは想像がつきます。とすると、リクルーティング会社に登録しているモニターの中に何人か混ざっているという幸運をねらうのは効率がよいとは言えません。たっぷり時間をかければ見つかるという類の話ではありませんから。そんなときに有効なのが、**縁をたどってユーザーを集める「機縁法」**です。

機縁法は、Facebookをはじめとする SNS の登場でずいぶんと気楽に使えるようになりました。その気楽さゆえに、機縁法を使えばどんなユーザーでもすぐに見つけられるような気になり

がちです。しかし、いくらなんでも週の半ばに連絡してきて、「この週末にインタビュー調査をしてほしい」と言うのは無しです。実際に言われて絶句したことがありますが、この依頼は次のいずれかに該当する人（2人）へのインタビューでした。

- 照明デザイナー
- または、イベント会場などの照明機器を選定する立場の人

「そんな人、すぐに見つからないって！」と思いきや。運がよかったのでしょう、旦那の縁をたどって2人獲得です。旦那の人脈に感動しました。

ただ、機縁法だからといっていつでも無茶なスケジュールを乗り越えられるわけではありません。ごく短時間でユーザーを集めなければならなくなったときに取れる策がいくつかあります。

① 募集の条件を必要最小限にする

先の例では、十分すぎるほど厳しい条件に加えて「男女1人ずつ」とか、「年齢は40歳まで」とか、他にも細かい希望を言われました。ただ、とにかく時間がなかったので**「できれば……」レベルの条件はすべて諦めてもらい、「現役でいずれかの仕事をしている人」という必須条件のみに絞った**のがひとつ目に取った対策です。

条件が少ないほうがユーザーを集めやすいのは機縁法にかぎった話ではありませんが、機縁法の場合は特に、これだけで紹介してもらえる率が上がります。条件が多いと、紹介をためらう人が多くなるからです。

自分が紹介する立場になって考えてみてください。「友だちが該当しそうだな……」と思っても、たくさん並んでいる条件のひとつひとつに該当するかどうかを確認してから紹介するのは面倒だと思いませんか？　条件に合うかどうかはっきりしない人を紹介するのもなんだな……とも思ったり。大丈夫そうだと思って紹介して、その友だちもすっかりその気になっていたのに、細かい条件に引っかかって結局参加できずに終わるとすればやっぱり友だちに申し訳ないからやめておこうってことになります、わたしなら。

条件が「現役の照明デザイナー」だけなら、「あいつ、たしかそんな仕事してたっけな……」。ちょっと聞いてみよう」と、最初の一歩を踏み出してもらいやすくなります。他の条件があったとしても、**絶対に譲れない条件に絞り込んで声掛けをはじめるのが成功への第一歩**です。

②紹介者へのお礼も準備する

条件の数やむずかしさに関係なく、「人と人を仲介する」という行為には手間が発生しますし、なにかあったときに人間関係にヒビが入るリスクを伴います。その手間とリスクを取ってくれた人へのお礼を忘れずに準備しましょう。

調査に協力してもらうユーザーと同額か、それ以上をお支払いするのが通例です。ちなみにこの照明デザイナーのときは、ユーザーと紹介者のそれぞれに20,000円としました。急な話だったのですこし高めの設定です。

機縁法でユーザーを集めた場合、紹介者が「遠慮する」と言って謝礼の受け取りを拒む場合があります。しかし、**紹介者が複数いる場合はかならず同じ額のお礼を受け取ってもらいましょう。**1人が受け取り、もう1人が遠慮したからと言って渡さなかったとします。もしこの2人が知り合いで、その事実を受け取ったほうの人が知った場合、おそらくすこし居心地が悪くなります。自分だけ受け取ってしまったという事実に対して。そんなことで気持ちの悪い思いをさせることのないようかならずお渡しします。

③場所は相手の都合に合わせる

インタビューを行う時間だけでなく、場所もユーザーの都合に合わせて指定してもらいました。2人だけだったので、日時がバッティングすることもなくすんなり決定。当日、わたしが、約束の時間に指定された場所へ行ってインタビューをして終わりです。調査を実施する側が柔軟に動ける体制だったからこそ実現できました。

逆に、こちらが出向くことを嫌がる人もいます。「自宅に呼ぶなら掃除しないといけなくてかえって面倒だ」とか、「会社の会議室を私用で使うわけにはいかない」とか、「近所のカフェでは人目が気になる」とか、理由はいろいろです。その可能性も考慮して、**こちらで場所を用意するという選択肢もかならず提示しましょう。**

そして**最後の手段は「電話」です**。移動時間も計算に入れたうえでお互いの都合が合う日程が見つからなかったり、やっとの思いで見つけたユーザーが遠方にいらしたりする場合は、『8場所がなくてインタビューすらあきらめる』ときの対策と同様にリモート調査を検討します。ユーザーの募集範囲を日本全国へ、場合によっては世界中へと広げることも可能にしてくれるリモート調査は、募集条件が厳しいときの頼みの綱にもなります。

④ 都合のよい日時を複数聞いておく

照明デザイナーの場合は2人だけだったので、日時の調整はすんなりいきました。しかしこれが5人、10人となれば話はちがってきます。

機縁法で集める場合は、協力者が見つかるたびに都合のよい日時を聞き、その枠が空いていたらそこで決定！　とします。そうやって1人ずつ、1枠ずつ埋めていきます。

とうぜん後半がきつくなります。空いている枠が少なくなっていくからです。ユーザーの都合ではなく、こちらの空き枠に都合を合わせてもらえないかとお願いすることになります。了承を得られなければ交渉決裂。せっかく見つかった候補者を諦めなければなりません。

そんな残念な事態を少なくするために、**都合のよい日時をかならず複数挙げてもらうようにし**

ます。もうあと数人で予定の人数が埋まる……という後半になって、「この日時以外はどうしても都合がつかない」という人が現れたときに、その枠を埋めている方に別の日時でお願いできるかどうか再交渉する余地を残しておくのがねらいです。

でも、いくつか注意があります。

- ●最初に約束した日時は「仮決め」とさせてもらうこと
- ●その他の候補日時を教えてもらい、そちらに変更をお願いする可能性があることを伝えること
- ●「仮決め」から「確定」とするタイミングとその連絡方法を伝えること
- ●忘れずに「確定」の連絡をすること

「この日のこの時間でも大丈夫と伝えた以上はそちらの日時も空けておかなくちゃ……」と考えるのが人情です。機縁法の場合、紹介者への気づかいからそう思ってくれる人が多いです。だから**「確定」の連絡を絶対に忘れてはなりません**。

16 スクリーナーづくり　その3
なんちゃってユーザーの潜入を阻止するには……

ユーザーを募集するときは、条件に合わないユーザーが潜り込んだり、調査に向けて「予習」されたりするのを防ぐために、**依頼主の正体や調査の内容を悟られないようにします**。

「某ブランドの熱心なファン」を集めて調査を実施したときには、その「某ブランド」がバレてしまっていて青ざめました。「（某ブランド）の調査だって聞いたので、途中でお店に寄ってきました」「昨日の夜、急いで（某ブランドの）インスタをフォローしました」などと言う人が続出したのです。こうして本当のことを言ってくれなければ、「店舗を訪れる頻度」や「インスタグラムの利用状況」について、歪んだデータを真に受けることになったかもしれません。

絶対に阻止しなければならないのは、某ブランドのファンでもなんでもない「なんちゃってユーザー」が潜入することです。リクルーティングの段階で打てる手を3つ紹介します。

① 依頼主を競合の中に混ぜて隠す

「某ブランドの熱心なファン」かどうかを、某ブランド名を提示せずに確認するのはむずかしいです。かと言って、「（某ブランド）を好きですか？　嫌いですか？」のようなアンケートでは、直接的すぎてバレバレです。

よく取るのは、**某ブランドと競合するブランドを並べ、「知っているブランドをすべて選んでください」「いちばん好きなブランドをひとつだけ選んでください」「商品をお持ちのブランドをすべて選んでください」といった質問をして、該当者を選抜する作戦**です。こうすれば、依頼主のブランドがどれかはダイレクトにはわからなくなりますし、そのブランドをいちばんとするユーザーの中でも、他のブランドに一切浮気をしない人や競合するブランドにも食指を伸ばす人などのバランスを見て、選抜することができます。

ただし、選択肢に並んでいるブランドのいずれかが調査の背後にいることは悟られてしまいます。それも避けたいなら、「好きなブランドをすべて挙げてください」と聞くしかありません。しかし、選択式の質問のほうが回答率は上がり、候補者が増えますので一長一短です。

② 機縁法で集める場合は、紹介者にも伏せる

「今日は（某ブランド）の調査だって聞いたので……」とおっしゃったユーザーは、機縁法で集めた人でした。紹介者がうっかりもらしてしまったというわけです。

紹介者に悪意があったわけではありません。むしろ深く考えずに「たしか（某ブランド）のバッグを持ってたよね？」なんて感じでユーザーに声をかけたのでしょう。それが調査にどんな影

響をおよぼすか、紹介者は知る由もありませんから。

紹介者経由でバレるのを防ぐには、**紹介者にも言わないこと**です。知らなければ、もらしようがありません。「ン十万円以上のブランドバッグを複数持っている人」といった具合に、探しているユーザーの条件をオブラートに包んで伝え、最終的に条件に合うかどうかは、「ブランドバッグをお持ちだとうかがったのですが、どちらのブランドのものですか？　お持ちのブランドをすべて教えてください」といった感じで調査者が直接確認します。**もし条件が合わなければ、この段階でお断りすることになるかもしれないことを紹介者にはしっかりと伝えておきましょう。**

③ 実物を見せてもらう

アンケートや口頭での確認ではなく、持っている商品の写真を撮って送ってもらう手も使えます。ただし、その面倒なひと手間がユーザーに応募をためらわせたり、紹介を思いとどまらせたりする原因にもなりますから、慎重にならざるを得ないときにかぎりましょう。

大きくないものであれば、調査の当日、商品を持ってきてもらうことを参加の条件にする手もあります。商品の金額が謝礼の額を超えるものならば、わざわざそれを買ってまで調査に潜り込もうとするなんちゃってユーザーはかなりの確率で阻止できます。

ただし、家族や友だちのものを借りてくるケースが実際にありましたので100％安心とはいきません。自分で購入し、使っているものを持参することが条件だとはっきりと伝えましょう。

17

スクリーナーづくり　その4

調査慣れしたユーザーを省くには……

「このサービスのどこをどう改善すべきかって話ですよね？　最優先はここだと思います」

という感じで、聞いてもいないのに「ここをこう変えるべき」「ここにも問題がある」「こうなっていれば迷わない」と持論を展開するユーザーに遭遇し、話をさえぎるのに苦労した経験があります。

調査に参加し慣れてくると、このユーザーのように効率よく期待にこたえようとしがちです。**「察しのよいユーザー」と評価されることによって「また呼ばれる」と期待する**からです。実際、何度も参加依頼が舞い込むことで、その思い込みはさらに強まります。そうなってしまうと、ていねいに記憶をたどり、嘘やごまかしを交えず、正直に質問に答えることこそが重要だといくら言っても伝わりません。

そんな慣れたユーザーを省くためにできる対策は2つあります。

図1

調査への参加経験を確認するための問い

過去3ヶ月以内に参加したインタビュー調査や座談会をすべて教えてください。(OA)

回答例:【2019】年【12】月ころ、【介護】に関する【座談会】に参加した

・【　】年【　】月ころ、【　】に関する【　】に参加した
・【　】年【　】月ころ、【　】に関する【　】に参加した
・【　】年【　】月ころ、【　】に関する【　】に参加した

①調査への参加経験を事前に確認し、多い人はふるい落とす

リクルーティングの段階で疑わしい人をふるい落とす対策がひとつ目です。スクリーナーに、**図1のような質問を追加し、記入が多い人は選抜しないようにします。**

もっと厳しくするには、期間を「過去6ヶ月以内」や「過去1年以内」まで広げます。

また、調査慣れした人を省くだけでなく、同業他社の調査と思われるものに参加した経験を持つ人を除外したいときにも、同じ作戦が使えます。

②調査慣れの傾向がみられたユーザーはリクルーティング会社に報告する

割のよいアルバイトに何度も呼ばれたいと思う人は、参加経験を偽る可能性があります。嘘をつかれてしまった場合は、事前に排除することができません。誠意を欠いた回答をするユーザーは、調査本番でも嘘をつく可能性があ

り、調査対象として好ましくありませんから、そうしたユーザーが調査に二度、三度と呼ばれ、調査慣れしていくのは防ぎたいです。

　事前アンケートでは「参加経験なし」となっていた人に慣れの傾向がみられた場合は、**帰り際の雑談の中で「こういう調査によくご協力いただいているのですか？」と聞いてみてください。**謝礼を受け取り、あとは帰るだけとなったタイミングなら、本当のことがポロッと出てくることがあります。

　そうして調査慣れの事実が判明したり、疑わしかったりするユーザーは**「あまり望ましくないユーザー」としてリクルーティング会社に報告し、以後の調査では候補に挙げないよう依頼します**。平日の昼間、多くの人が働いている時間帯に来られるユーザーがなかなか見つからないときなど、困ったときにお願いできるユーザーをリクルーティング会社が重宝して使い回している可能性もあるので、そういうユーザーはうちの調査ではＮＧですよ！　ということを伝える意味でもこの報告は重要です。単に約束の人数を集めるだけではなく、質のよいユーザーを集められるようお互いに協力していきましょう。

18

軌道修正

ユーザーが集まらないんだけど、どうする？

リクルーティングをはじめてから、思うように集まらないことに気づいて「どうしよう？」となる場合があります。『10 ユーザーを集めるのに2週間もかかるの？』で紹介したように事前におよその出現率を踏まえていれば、切羽詰まる前に対策の検討をはじめられますから、**むずかしい条件でユーザーを集めようとしているときには特に、早い段階で見込みの出現率を確認しましょう。**

集まりが芳しくないというときの次の一手は**リクルーティングの手段を増やすこと**です。そう聞くと、リクルーティング会社をもう1社、2社と追加する作戦を真っ先に思い浮かべるかもしれませんが、それはあまり得策ではありません。というのは、多くのユーザーが複数社に登録しているからです。リクルーティング会社を増やしたからといって、応募者が2倍、3倍と増えるわけではないのです。

おすすめの作戦は、リクルーティング会社でまかなえない分を「機縁法」に頼ることです。残りが2〜3人という場合は、これでうまくいくことがあります。

ただし、機縁法を追加すると、リクルーティング会社の担当者とやり取りするだけで済んでいたコミュニケーションの負担が、想像以上に膨らみます。調査の場所や日時を相手に合わせることもむずかしく、空いている枠を埋めてくれる「こちらにとって都合のよい人」を探すことになります。焦るあまりに失礼のないように、慎重な対応を心がけましょう。

そして、それでも集まらないという場合、取れる選択肢は5つあります。

①リモート調査を組み合わせて、ユーザーの募集範囲を拡大する

ユーザーに会場まで来てもらったり、調査者がユーザー宅を訪問したりするためには、行き来できる範囲にお住まいの人しか候補になりません。この制約を取っ払って、**電話やビデオ通話でのインタビューに方法を切り替えられるなら、ユーザーを募集する範囲を広げられます。**

自宅から参加できるとなれば、朝の早い時間帯や夜おそくなってからでも対応してくれる人が見つかる可能性も上がります。残っている枠に早朝と夜間の枠を足して、改めて募集をかけましょう。それでも事態が好転しなければ残る4つからどうするかを考えます。

②リクルーティングの条件をゆるめて、調査の目的や内容を調整する

約束した人数を集めることを任務とするリクルーティング会社のほうから「条件をゆるめてもらえませんか?」と頼まれることは少なくありません。『2 ただ「やりたい」だけでは先へ進め

ない』に書いたとおり、「必須条件」と「優先条件」を最初から切り分けておけば、このときの判断がしやすくなります。

「必須条件」まで譲歩して、『はじめに』に書いたように「集められるユーザーでどんな調査ができるか」を考えるところまで落ちてしまうことのないように注意しましょう。

ただし、ユーザー調査に対して懐疑的な組織で、やっとその一歩を踏み出すところまできて展開を止めたくない、質はともかく実施すること自体に大きな意味があるという場合には、大胆な譲歩も検討の余地があります。

③条件はそのままにして、集まった人数で調査を実施する

予定した人数のユーザーが集まらなかったときに浮上する懸念は次の2つです。

- 分析に影響が出て、結論を出せなくなるという懸念
- ユーザー数が減ると支出が減るので経理処理が面倒になるという懸念

ひとつ目の場合は、統計学的にどうこうという分析をする調査ではないので、**数人分が欠けても大勢に影響なしと思えれば大丈夫**。そう説明して納得してもらえる場合もあります。

2つ目の懸念は、大きな組織が相手だとどうにもならない場合が多いです。見積どおりにお金

を使わないとならないとか、予算を使い切らねばならないとか、そういう話です。もちろん、減った分を減らして請求させてもらったり、他の作業に工数を追加して帳尻を合わせたり、そんな融通を利かせてくれる組織もあります。**そういう対応ができるのであれば、この選択肢が有力です**。

ただし、人数次第でもあります。12人集める予定が半分しか集まりませんでした……というのではさすがにキツイです。お金の帳尻合わせもむずかしくなって、この選択肢は論外という判断になるでしょう。

④調査そのものを延期して、仕切り直す

ユーザーが集まらないと「集め方が悪い」と考えてしまいがちですが、もしかしたら集めようとしているユーザーの想定がそもそもまちがっていたり、歪んでいたりする可能性はないでしょうか？　そこに立ち戻って、仕切り直す勇気が必要な局面もあるはずです。

むずかしい決断になります。でも、**うまくかみ合っていない歯車を無理に回しつづけても歪んだ結果にしかなりません**。いざそうなってから後悔するよりは、傷の浅いうちに仕切り直すほうがマシなはずです。

⑤ 条件はそのままにして、集まった人数で調査を実施し、残りの人数分は仕切り直す

すべてを白紙に戻すという英断を下すのがむずかしいときはコレです。まずは集まった分だけ、予定どおりに調査を行います。

ポイントは、**「どうしてユーザーが集まらなかったのかを探る」という目的を追加すること**。調査の設計やリクルーティング条件のどの部分に無理があったのか、なにが現実に即していなかったのか、どこを修正すれば適切なユーザーを集められそうかなど、**次の調査につなげるための情報を集め、よく検証してから、2回目を計画します**。

経理処理の問題は、③にも④にもつきまといます。①か②を取り、いったん締めくくってから、次回を考えるほうがかんたんな場合も多いかもしれません。しかし、喉元すぎればなんとやらで、ユーザーが思うように集まらない……と毎度、右往左往している依頼主を何社も知っていますす。リクルーティングの失敗や苦労がきちんと引き継がれていないのでしょう。そうしたくり返しをなくす意味でも、ときには英断を下すことが必要かもしれません。

ノーショウやドタキャンを阻止する手立て

「ノーショウ」という言葉を聞いたことはありますか？　予約をしながらも最後まで現れない人のことです。キャンセルの連絡があれば「当日キャンセル」とか「ドタキャン」ということになります。

ユーザー調査でも、約束していたユーザーが来てくれないことがあります。でも「ノーショウ」はとても少ない。「仕事を抜けられなくなりましたー」とか、「子どもが急に熱を出して……」とか、やんごとなき事情で行けなくなりましたゴメンナサイという連絡をくれるドタキャンが大半です。

しかしこれも、前日に一本電話を入れるだけで、当日になって対応を迫られるケースを減らせます。リクルーティング会社にユーザーを集めてもらっている場合はそこまでやってもらえるのでお任せですが、機縁法で集めた場合などは、当日の連絡先としてユーザーに知らせている電話番号から電話をして、「時間と場所の最終確認です」という名目で話しつつ、「忘れずに来てください」という真のメッセージを伝えます。

同時に、当日の連絡手段となる電話番号をお互いに確認できるというメリットもありますから、メールで済まさず、電話をかけるのがおすすめです。

第3章

本番に備える

おざなりな準備の先にある落とし穴

19 予習

「教えてください」と言ったら怒鳴られる

ある調査で、知っていることも知らないふりをして「どういうことか教えてください」とユーザーに聞いたら、

「そんな基本的なところから教えないといけないの？　信じられない。そのくらい勉強しておきなさいよ！」

と怒鳴られたことがありました。さすがに一瞬かたまりましたが、ユーザーは「師匠」のようなもの。努力の足りない弟子はかわいくありませんね。「自分でできる予習はきっちりしてくる」、それが弟子の取るべき態度ですが加減がむずかしい。どんな予習をするべきでしょうか。

①「固有名詞」「勢力図」を押さえる

まずはＷｅｂで検索です。調査で対象とする商品やサービス、あるいはもっと広く分野につい

ての基礎知識を授けてくれそうな書籍や記事を探します。なにごとにおいても、誰もが最初は初心者です。**「初心者向け○○」とか、「はじめての○○」といった言葉で検索をかければ、参考になる情報が見つかります。**

そうして見つけた活字の情報で勉強するのは主に**「固有名詞」**です。ユーザーの口から出てくる固有名詞がチンプンカンプンでは、話がなかなか進みません。すべてを頭に叩き込むのはむずかしいですが、話題にのぼったときに「あのことかな？」とアタリをつけられるくらいを目標にします。

その**業界や分野の勢力図**も忘れずにチェックします。依頼主や、調査でターゲットにする商品やサービスが、現在の市場でどのような立ち位置にあって、なにと競り合っているのかなどの確認です。

ユーザーがＷｅｂでざっと検索して手に入るくらいの情報にはすべて目を通しておくつもりで立ち向かうのが最初の一歩です。

また、調査を依頼する側にいる人は、**資料や参考書をモデレーターに提供してあげてください。**業界のこと、自社のこと、自社商品やサービスのことなど、新入社員に勧めるような資料や参考書を思えば察しがつくのではないでしょうか。まるで宿題を課すようで抵抗を覚えるかもしれませんが、モデレーターが自力で探すよりも時間の節約になりますし、予習に時間を割くのはモデレーターにはあたり前の姿勢ですから、どうぞご遠慮なさらずに。

②自分もユーザーになってみる

調査の中で取り上げる具体的な商品やサービスがある場合は、自分で直に触れてみる、使ってみることが貴重な予習になります。

店頭で手にできる商品の場合は店頭へ行き、ふつうのお客様然として、買うかどうか考えるつもりで商品と向き合います。店員さんに話を聞いたり、売り場の様子を観察したり、購入前に手に入れられる情報をたしかめます。一緒に並んでいる競合商品もあわせて見ます。「買うならどれ？」と本気で自問自答して、気に入ったら買っちゃうくらいの勢いで。

どんな商品やサービスも、はじめて触れる瞬間は一度しかありません。人には「知識の呪い」や「知識の呪縛」と呼ばれる認知特性が備わっています。一度知識を得てしまうと、その知識を持たない人の頭の中を想像しにくくなるという特性です。もちろん、知らなかった自分に戻ることもできません。その商品やサービスに対して新しく知識を得ようとする「その瞬間」は貴重です。**二度と得られない体験と認識しながら、ここにしっかり時間をかけておけば、ユーザーへの共感の度合いがちがってきます。**

試作品などどうにも入手が困難なものや近寄りがたい高額商品、会員登録が必要なサービスなど、自力では手にしにくいものの場合は、依頼主に頼んで貸してもらったり、ダミーのアカウントを用意してもらったりします。外に出せないという場合は出向いて、社内で触らせてもらう方法を相談しましょう。

付け焼き刃の予習に勝る日ごろの積み重ね

通訳を生業にしている知人は、暇さえあれば読書をしています。どんな分野の仕事が舞い込んでも引き受けられるように、さまざまな分野に対する知見をコツコツと内にため込む努力をしているとのこと。

ユーザー調査も似ています。日ごろからたくさんの本を読み、巷で話題の商品やサービスを利用し、人びとがいつ、どんなときに、どんな行動を取るのかを観察して、知識を増やしつつ想像力を養っておく。それが調査者にとっての大切な屋台骨となります。

家族との生活や対話は、異性の目線や世代間ギャップを知るのに絶好の機会です。職場でのちょっとした雑談や友人とのおしゃべりも、自分とはちがう価値観や生活環境からの視点を得るのに役立ちます。苦手意識のある分野の本こそ、がんばって手に取りましょう。予習が必要になって一から動き出すよりも、日ごろから積み重ねているほうがよいに決まっています。浅くても広い視野を持って、日々の生活を送るのがユーザー調査上達の秘訣です。

リサーチガイドづくり　その1

20 事前にガイドを共有してもらえず青ざめる

ユーザー調査を行うときは、**「リサーチガイド」**と呼ばれる、その名のとおり**調査を導いてくれるドキュメント**をつくります。

インタビューの場合は「インタビューガイド」や「ディスカッションガイド」と言ったり、モデレーターのためのガイドという意味で「モデレーターズガイド」と呼んだり、台本の意味で「スクリプト」という表現を使う場合もあります。本書では短く「ガイド」と呼びます。

このガイドの重要性に気づいていない調査者や依頼主が案外多くて驚きます。何度せっついても送ってくれず、調査当日の朝、申し訳なさげに「遅くなってすみません……」と手渡されたガイドが、ガイドとしての役割をまったく果たしてくれなさそうな代物だったときには震えました。

そんな手遅れ状態になる前に、**ガイドが担う3つの重要な役割をまず共有すること**で対策としましょう。

①モデレーターが観察や対話に認知能力を全投入できるようにする

どういう目的で調査を実施したいのか、なにを明らかにし、どんなデータを手に入れることを目指すのかといった大枠の話から、こんな質問をしたい、ユーザーがほにゃららする様子を見たいといったより具体的な調査内容にいたるまで、**ユーザー調査を実施し、しっかり結果を出すためにモデレーターが知っておくべきことのすべてがガイドには記されていなければなりません。**

わざわざ書き出さなくても、すべてを頭に入れて調査を実施し、バッチリ結果を出せるのが理想ではありますが、認知容量に限界のある人間がモデレーターを担う以上は、記憶だのみにするのは危険です。また、いつでも見て確認できるモノがあると思えれば、完全に覚えておく必要がなくなり、観察して気づいたことや感じたことを記憶に刻んだり、ユーザーとの対話に全力投球して、深層心理に迫ったりすることに力を回せます。

②関係者全員が納得して調査に臨めるようにする

ガイドを必要とするのは、モデレーターばかりではありません。ユーザー調査で得られたデータの分析を担う人、それを次のアクションにつなげる役割の人、そのアクションを実際に起こす立場の人、もっと上のほうでなにか大きな意思決定をする立場の人など、調査にはさまざまな人がかかわります。ユーザー調査という取り組みを社内に根付かせることも目的のひとつなら、今回の調査には直接関係しない部署や立場の人にも内容を共有したいと思うかもしれません。そういう人たちに調査の目的から具体的な調査内容まで、事前に知り得るすべてを手っ取り早く、誰**にでもわかる形で伝える役割を果たすのもガイド**です。

事前に共有すれば、「○○に関する質問を足してほしい」「観察の視点をもうすこし追加したい」と要望や提案を寄せてもらえるかもしれません。やぶ蛇になって、議論が収拾つかなくなるような展開も無きにしもあらずですが、調査当日になってすったもんだするよりは、事前に議論できるほうがよいに決まっています。もやもやしたものを抱えたまま調査に臨む人がひとりもいなくなるように、議論の土台としてもガイドを活用しましょう。

③調査の目的や目標を見失わないようにする

おおよそどういう順序で、どんな問いを投げかけていくのか、行動観察であれば、どんなところに注目して行動を追跡し、記録する予定なのかを書いた部分が、ガイドの「本文」にあたります。

本文をどのようにつくりこんでいくかは次節にみっちり書きますが、その作業を抜かりなく進めるためにも**ガイドの冒頭に「序文」のごとく調査の目的を書きましょう**。

ガイドをつくっている途中でも、時おり冒頭の目的を確認するようにすれば目指す方向を見失わずに済みますし、計画書のような別のドキュメントや古いメールを探し出して目的を確認するような手間も省けます。関係者にガイドを共有するときにも、わざわざ別のドキュメントを添付することなく調査の目的を一緒に伝えられます。

そしてなにより、**モデレーターも調査の最中、目的を踏まえ、目標に向かえているかどうかを確認できます**。ユーザーとの対話に熱中するあまり、調査の目的をど忘れしてしまうことは実際に起こり得ます。何度も経験しました。ガイドの冒頭に戻ればいつでも確認できる状態になっているという安心感は計り知れません。

21

リサーチガイドづくり　その2

重たい質問を早く出しすぎてとっ散らかる

依頼主から受け取ったガイドにしたがって、「介護をしていていちばん苦労を感じるのはどんなときですか？」と開始10分くらいで聞いてしまい、ユーザーの語りが止まらず、ぜんぜん先へ進めなくなってしまったことがありました。しかも、苦労や悩みを思い出すうちに泣き出してしまってもう大変。

個人的には話を聞いてあげたい気持ちでいっぱいでしたが、調査としては失敗です。そんな展開にならないよう、問いとその順番を慎重に練ったうえでガイドをつくらなければなりません。

ガイドの本文は「イントロダクション」「メインパート」「クロージング」の三部構成になります。失敗しないガイドづくりのコツをパートごとに見ていきましょう。

①イントロのイントロで趣旨を説明し、ユーザーの不安を取り除く

介護に関する調査の趣旨説明と約束ごとの書き方を例に考えてみましょう。

●趣旨説明と約束ごと

今日は調査にご協力いただきまして、ありがとうございます。進行役をつとめます○○と申します。よろしくお願いいたします。60分のお約束ですので、○時○分に終わるように進めていきます。

どなたかの介護をなさっているとうかがっています。介護をなさっているときの様子や介護のお悩み、ご苦労などをうかがって、改善につながるサービスの検討に活用させていただきたいと思っています。

介護の仕方や介護に対する考え方は人それぞれだと思いますし、一生懸命なさっていることに正解も不正解もありません。プライベートなこともいろいろとおうかがいすることになりますが、もし言いたくないことがあれば「言いたくない」と、思い出せないことがあれば「思い出せない」と遠慮なくおっしゃってください。正直なお気持ちを聞かせていただくのがいちばんありがたいです。

わたしは今日の進行役を仰せつかっているだけで、介護専門の調査員ではありませんし、介護をしたことも、受けたこともありません。とは言え、いつか介護を担わざるを得ない日がこないともかぎりませんので、今日お話をうかがって、たくさん勉強したいと思っています。

先ほどご同意いただきましたので、インタビューの様子を録画・録音させていただきます。くり返しになりますが、この調査以外の目的で利用することはありません。その点はしっかりお約束させていただきます。

もうひとつご了承いただきたいのですが、その録画機材の操作をしたり、ノートを取ったりしてくれる仲間が裏におりまして、調査の様子を拝見します。基本的には私とのおしゃべりに集中いただいて、裏のことは忘れていただいて結構ですが、裏にも人がいるという環境についてご了承ください。

はじめる前にお伝えしたいことは以上ですが、逆になにか質問や心配ごとはありますか？


本題に入る前に、**約束の時間を使ってどんなことをするのかをユーザーに伝えます**。

ユーザーは、なにをさせられるのだろう？　なにを聞かれるのだろう？　とドキドキしています。終わってみればあっという間の60分も、はじまる前は「1人で60分もなにするの？」といぶかしんでいます。その緊張をほぐすために、その時間がどのように使われるのかをざっと伝えてしまいます。

また、**調査に参加するのは任意なので、言いたくないことは言わなくてもよいし、見せたくないものは見せなくてもよいというのが原則**です。言いたくないのに、そうとは言えず、適当な話でごまかされるようなことこそ避けなければなりません。そうしたお願いごとや注意事項も伝えたうえで、最後に、「質問や心配ごとはありますか？」と聞いて、不安なく本題へ入っていけるように気配りしましょう。

②気楽に答えられる、でも余計じゃない質問をイントロに並べる

本人確認の意味も含めて、冒頭で自己紹介をしてもらいます。名前や年齢、家族構成や仕事の内容、趣味や休日の過ごし方などを聞くのが代表的です。ただし、いつも同じ内容ではいけません。

在宅介護に関する調査の一環で、介護を仕事にしている人に家族構成を聞き、「それ、関係あります？　わたしが結婚しているかどうかって必要な情報ですか？」と怒られたことがありました。仕事に関するインタビューであるにもかかわらず、プライベートに踏み込んだ質問だったので抵抗を覚えたようです。余計な質問が場の雰囲気を壊しかねないという好例です。**調査の主旨やねらいを踏まえ、ユーザーの人となりや生活、あるいは仕事の様子を想像するために本当に必要な質問かどうか、慎重に考えましょう。**

介護がテーマであれば、兄弟姉妹や親せきと介護を分担しているという話が出る可能性がおおいに考えられます。同居の家族だけでなく、兄弟姉妹や親せきの存在、出身地などまで聞いておくことは、分担の話題になったときに役立ちそうです。

表1

自己紹介と参加条件確認の書き方（質問文で書く場合）

●自己紹介	・お名前とお歳を教えてください
	・一緒にお住まいのご家族はどなたですか？
	・お住まいはどのあたりですか？
	・お仕事はされてますか？
	・どんなお仕事ですか？
	・フルタイムでお勤めですか？
	・ご出身はどちらですか？
	・ご親せきやご兄弟はそちらにいらっしゃいますか？
	・ご兄弟姉妹はいらっしゃいますか？
	・（兄弟姉妹がいる場合）どちらにお住まいですか？
●参加条件確認	・在宅介護をなさっているとうかがったのですが、どなたの介護をなさってるんですか？
	・その方は今、何歳ですか？
	・一緒にお住まいですか？
	・（別居の場合）自宅からはどのくらいかかりますか？
	・介護が必要になった最初のきっかけはなんだったのですか？
	・それは何年前ですか？
	・要介護または要支援の認定を受けていますか？
	・認定区分を教えてください

表2

自己紹介と参加条件確認の書き方（箇条書きの場合）

●自己紹介	・名前と年齢
	・同居の家族構成と居住エリア
	・仕事の有無と内容
	・別居の家族や親せきと出身地
●参加条件確認	・要介護者との関係（性別も合わせて確認）
	・要介護者の年齢
	・要介護者の居住エリアと介護者宅からの距離
	・要介護になった経緯
	・要介護レベル

イントロは、ユーザーが最初に口を開き、発声する大切なタイミングです。「自己紹介をお願いします」と丸投げされても、緊張もあってなにを話せばよいのかわからない……という人が少なくありません。表1のように「お名前とお歳を教えてください」「ご家族構成は？」「お住まいはどのあたりですか？」と、**ひとつずつ聞いてあげるつもりで質問を用意しましょう。**

また、**リクルーティングのときに答えてもらったアンケートへの回答を確認する質問**もここに混ぜます。介護の調査の場合は、要介護者の存在を確認し、介護認定を受けているかどうかなどを確認する質問が並ぶことになります。

表2のような箇条書きのほうが、文字数が少なくなるのでパッと見で読み取りやすく感じるかもしれません。ただし、質問文で書いてあるほうがあいまいさがなく、明確で、聞き忘れる

心配は減ります。モデレーターの認知負荷を下げるのもガイドの役割ですから、ここはモデレーターから見た読みやすさや使いやすさを優先してどちらの書き方にするかを決めましょう。

③メインパートをいくつかのセクションに分けて、「軽い順」に並べる

つづいて、メインパートです。

ユーザーが課題を解決したり、ニーズを満たしたりするために使う手段となり得る「モノ」に焦点をあて、その「利用状況」を調べるのがユーザー調査の骨子です。**なにが明らかになれば、利用状況を把握したと言えるか？　と自問し、手当り次第に書き出します。**

たとえば、在宅介護の実態を把握し、求められるサービスや支援の検討につなげることを目的に「介護サービス」に焦点をあてて実施する調査であれば、表3のような疑問（リサーチクエスチョン）が浮かびます。これらを分類して、かたまりごとにセクション分けしたものが表4です。

ここで**話題の「重さ」と「流れ」を考えて順序を検討します。**

この例では、「要介護者のいる暮らしの実態」は生活の細部を思い出しながら、心情も含めて話をうかがいたいのですこし重くなりそうです。「介護の現場で求められる支援やサービス」も、日ごろ抱えている不満や不安を吐露したり、要介護者の気持ちを推測し、代弁したりするむずか

表3

「介護に関する調査」で想定されるリサーチクエスチョン

- どのようなタイミングで介護認定を受けるのか
- 介護認定についての情報はどうやって得るのか
- 認定を受けてから介護サービスの利用を検討するのか、サービスを利用したいから認定を受けるのか
- どんな介護サービスがあるかを介護者は把握できているか
- 介護サービスは十分に活用されているか
- 要介護の家族を持つと暮らしはどう変わるのか
- 要介護者と同居の場合と別居の場合で差はあるか
- 要介護者との関係によって差はあるか
- 介護者はどんなタイミングで、どんな情報を求めるのか
- 介護者にとって貴重な情報源はなにか？　どこ（だれ）から情報を得るのか
- 困ったときの相談相手はだれか
- 介護者はどんな支援やサービスを求めているのか
- 要介護者はどんな支援やサービスを求めているのか

表4

リサーチクエスチョンを分類し、かたまりごとにセクション分けした状態

介護認定とサービス利用の関係

・どのようなタイミングで介護認定を受けるのか
・介護認定についての情報はどうやって得るのか
・認定を受けてから介護サービスの利用を検討するのか、サービスを利用したいから認定を受けるのか

介護サービスの利用状況とサービス内容に対する理解度

・どんな介護サービスがあるかを介護者は把握できているか
・介護サービスは十分に活用されているか

要介護者のいる暮らしの実態

・要介護の家族を持つと暮らしはどう変わるのか
・要介護者と同居の場合と別居の場合で差はあるか
・要介護者との関係によって差はあるか

介護に必要とされる情報と情報源

・介護者はどんなタイミングで、どんな情報を求めるのか
・介護者にとって貴重な情報源はなにか？　どこ（だれ）から情報を得るのか
・困ったときの相談相手はだれか

介護の現場で求められる支援やサービス

・介護者はどんな支援やサービスを求めているのか
・要介護者はどんな支援やサービスを求めているのか

表5

リサーチクエスチョンを適切と思われる流れに沿って並べ替えた状態

介護認定とサービス利用の関係

・どのようなタイミングで介護認定を受けるのか
・介護認定についての情報はどうやって得るのか
・認定を受けてから介護サービスの利用を検討するのか、サービスを利用したいから認定を受けるのか

介護サービスの利用状況とサービス内容に対する理解度

・どんな介護サービスがあるかを介護者は把握できているか
・介護サービスは十分に活用されているか

介護に必要とされる情報と情報源

・介護者はどんなタイミングで、どんな情報を求めるのか
・介護者にとって貴重な情報源はなにか？　どこ（だれ）から情報を得るのか
・困ったときの相談相手はだれか

要介護者のいる暮らしの実態

・要介護の家族を持つと暮らしはどう変わるのか
・要介護者と同居の場合と別居の場合で差はあるか
・要介護者との関係によって差はあるか

介護の現場で求められる支援やサービス

・介護者はどんな支援やサービスを求めているのか
・要介護者はどんな支援やサービスを求めているのか

並べ替えたセクション

しい内容になることが予想されますからやっぱり重たいです。

一方で、「介護認定とサービス利用の関係」「介護に必要とされる情報と情報源」については、思い出すのに苦労はするかもしれませんが、**過去にあった事実を教えてもらうことが中心になるので他の話題と比較すれば軽いと言えそうです。**

「介護サービスの利用状況とサービス内容に対する理解度」は、「介護認定とサービス利用の関係」や「介護に必要とされる情報と情報源」について探る中でおおよそ見えてくるのではないかと考えられます。情報が足りない部分を確認するような時間の使い方になりそうなので、両者のあとに配置するのがよさそうです。

といった検討の結果、並べ替えると表5のようになります。

具体的な問いを書き出していく中で、順序を入れ替える必要が出てくる場合もあります。とりあえず、おおよその枠組みができたら次へ進みましょう。

セクション数はいくつが妥当か

ユーザーに協力してもらえる時間が60分だとすると、イントロに10分、締めくくりに5分として、メインパートに使える時間は正味45分という計算になります。

セクションの数が多くなれば、各セクションで使える時間は自ずと減ります。たとえば、9つのセクションを正味時間45分でさばくとすると、5分刻みで話題を切り替えていくことになってせわしないです。時間と対話の流れを気にかけながらユーザーの深層心理に深く切り込んでいきたいなら、セクションは3～5つに絞るのが妥当です。それを超えれば欲張りすぎということで、まずは使える時間を増やせるかどうかを考えましょう。60分を90分に延ばせばセクションも増やせるという単純計算です。ただし、リクルーティングをはじめたあとでは取りにくい選択肢です。

残る手立ては、セクションを絞るか、優先順位をつけること。優先順位をつけるというのは、順位の低いセクションには触れられずに終わる可能性があるということです。優先順位をつけてしのぐ場合は、あらかじめそのことを関係者で共有しておきましょう。

④セクションごとに問いを書き出してから、統合し、調整する

各セクションでユーザーに対してぶつける「質問」や、行動観察の場合は注目する「行動」を個別に書き出すのが次の作業になります。

各セクションが独立したひとつの調査だと思って、その目的を達成するために役立ちそうな問いや着眼点を思いつくだけ書き出してしまいます。ポイントは出し惜しみしないこと。そのセクションの持ち時間が10分や15分しかないということもいったん忘れてしまいます。

手順は、対策③の『メインパートをいくつかのセクションに分けて、「軽い順」に並べる』と同じです。**考えられる問いをありったけ書き出したあと、分類して、ユーザーが語りやすそうな順に並べます。**ひとつ目のセクション「介護認定とサービス利用の関係」でやってみましょう。

思いつくかぎりの質問を書き出したものが表6です。これらを分類して、ユーザーが思い出し、語りやすそうな順に並べると表7のようになります。

同じように2つ目のセクション「介護サービスの利用状況とサービス内容に対する理解度」についても質問を書き出したあとに分類し、並べ替えたものが表8です。

表6

「介護認定とサービス利用の関係」セクションで考えられる問いを思いつくままに書き出した状態

- 介護認定を受けていますか？
- 認定を受けたのはいつ頃でしたか？
- 最初の認定区分はなんでしたか？
- 最初に受けた認定区分についてはどう思いましたか？
- 認定区分はその後も同じですか？
- 介護認定を受けることに対して、要介護者はどんな反応でしたか？
- 介護認定制度についてはどうやって知りましたか？
- 認定を受けようと思ったきっかけは何ですか？
- 審査はどのように行われたのですか？　どう思いました？
- 介護認定調査員に対してどんな印象を持ちましたか？
- 介護認定調査員からどんな説明を受けましたか？
- 介護認定調査員とのやり取りで印象に残っていることを教えてください
- 再度、審査を受ける予定はありますか？
- （再審査の予定があれば）どうして再審査を受けようと思われたのですか？
- 今、利用されている介護サービスはありますか？
- それはいつ、どういうきっかけで利用をはじめたのですか？
- 介護サービスの利用をはじめたのは認定を受ける前ですか？　後ですか？
- 認定を受けたことで介護サービスの利用の仕方に変化はありましたか？

表7

「介護認定とサービス利用の関係」セクションで考えられる問いを分類し、並べ替えた状態

介護認定の現状確認

・介護認定を受けていますか？
・認定を受けたのはいつ頃でしたか？
・最初の認定区分はなんでしたか？
・最初に受けた認定区分についてはどう思いましたか？
・認定区分はその後も同じですか？

介護認定を受けた経緯

・介護認定制度についてはどうやって知りましたか？
・認定を受けようと思ったきっかけは何ですか？
・介護認定を受けることに対して、要介護者はどんな反応でしたか？

認定審査の様子

・審査はどのように行われたのですか？　どう思いました？
・介護認定調査員に対してどんな印象を持ちましたか？
・介護認定調査員からどんな説明を受けましたか？
・介護認定調査員とのやり取りで印象に残っていることを教えてください
・再度、審査を受ける予定はありますか？
・(再審査の予定があれば）どうして再審査を受けようと思われたのですか？

介護サービスの利用状況

・今、利用されている介護サービスはありますか？
・それはいつ、どういうきっかけで利用をはじめたのですか？
・介護サービスの利用をはじめたのは認定を受ける前ですか？　後ですか？
・認定を受けたことで介護サービスの利用の仕方に変化はありましたか？

表8

「介護サービスの利用状況とサービス内容に対する理解度」セクションで考えられる問いを分類し、並べ替えた状態

介護認定の現状確認

・介護認定を受けていますか？
・認定を受けたのはいつ頃でしたか？
・最初の認定区分はなんでしたか？
・最初に受けた認定区分についてはどう思いましたか？
・認定区分はその後も同じですか？

介護サービスの利用状況

・介護保険適用内で現在利用しているサービスはありますか？
・利用できるけれども使っていないサービスはありますか？　どうして利用しないのですか？
・介護保険適用外のサービスで利用しているものはありますか？　どうしてですか？
・介護保険適用外のサービスで利用したいものはありますか？　どうしてですか？
・介護サービスを利用することに対して、要介護者はどんな反応でしたか？

介護サービス事業者やスタッフに対する印象

・行政の介護サービスに対してどうお考えですか？
・介護サービス事業者やそのスタッフに対してどんな印象をお持ちですか？
・真っ先に改善してほしいと思うことを教えてください

家族による介護の状況

・一緒にお住まいのご家族に手伝ってもらっていることはありますか？
・一緒に住んでいない家族（兄弟姉妹など）に手伝ってもらっていることはありますか？
・プロにお願いできるけれど、あえて家族が介護していることはありますか？　どうしてですか？
・プロにお願いしたいけれど、やってもらえないことはありますか？　どうしてですか？
・プロの介護とご家族がなさる介護の線引きはどこに置いていますか？

表7と8を見比べると、**「介護認定の現状確認」が完全に重複しているのでうしろにくるセクションではこれを省略できる**ことがわかります。また、実は表1のイントロともいくつか重複しているので、くり返しになる問いは削除し、問いの順序を見直すと表9のようになりました。これをセクション1にのみ配置します。

「介護サービスの利用状況」は、話題としては重複していますが、それぞれで明らかにしようとしている内容がちがいます。ひとつ目のセクションは、認定の有無によって介護サービスの利用状況が変わるかどうかを確認するのがねらいですから、それを2つ目のセクションに回して一本化すると表10のようになります。

ひとつ目にあった「介護サービスの利用をはじめたのは認定を受ける前ですか？ 後ですか？」という問いをそのまま追加することもできますが、セクション1で介護認定の現状確認や認定を受けた経緯を聞き取れていれば、サービス利用開始時期が認定の前なのか後なのかは聞かなくてもわかってしまっているはずです。ただし、**はっきりしない場合には確認をはさむことを忘れないようにしておきたいので、「※認定を受ける前か後かを確認すること」とリマインドを残しました**。このように問いを統合したり、並べ替えたりしていく中で、質問に意図やねらいが追加されたり、見えなくなったりする場合があります。記憶力を過信せず、しっかり記録しておくようにしましょう。

表9

「介護認定の現状確認」の問いを重複しないように整理したもの

介護認定の現状確認
・最初に認定を受けたのはいつ頃でしたか？ ・そのときの認定区分から変わっていませんか？ ・(変わった場合) どのように変わったのか教えてください ・認定区分の判定についてはどう思われますか？

表10

「介護サービスの利用状況」の問いを重複しないように整理したもの

介護サービスの利用状況
・介護保険適用内で現在利用しているサービスはありますか？ ・それはいつ、どういうきっかけで利用をはじめたのですか？ ※認定を受ける前か後かを確認すること ・利用できるけれども使っていないサービスはありますか？　どうして利用しないのですか？ ・介護保険適用外のサービスで利用しているものはありますか？　どうしてですか？ ・介護保険適用外のサービスで利用したいものはありますか？　どうしてですか？ ※認定が介護サービスの利用状況にどんな変化をもたらすかを確認すること ・介護サービスを利用することに対して、要介護者はどんな反応でしたか？

リマインド

⑤時間があったら聞きたいことをクロージングに置く

最後のまとめとしてどうしても聞きたいことや、依頼主からどうしても聞いてほしいと頼まれたことがあればクロージングのセクションに書きます。

調査の目的には直接関係しないけれど、せっかくユーザーに話を聞けるならコレも、アレもと追加したがる人があとを絶ちません。調査の主旨に沿うべきだと、欲張るべきではないといくら説明しても納得してくれない人を相手にするのは正直時間の無駄なので、**「時間があったら最後に聞きましょう」と言って、最後に書いておきます**。たいてい時間は残らないので、聞かずに終わりますが……。

それよりも、聞き漏らしたことをカバーしたり、聞いたけれどきっちり理解できなかったことを確認したりするために残り5分を使うのが理想的です。

図1

「介護に関する調査」のインタビューガイド 完成版（抜粋）

冒頭に目的を記す	調査の目的	
	身近な家族の在宅介護を行っている介護者へのインタビューを通じて、在宅介護の実態を把握し、行政が提供する介護サービスの不備を捉えて、求められるサービスや支援の検討につなげることを目的とする。	
	イントロダクション【10分】	
モデレーターが先に自己紹介する	▼趣旨説明と約束ごと	今日は調査にご協力いただきまして、ありがとうございます。進行役をつとめます○○と申します。よろしくお願いいたします。60分のお約束ですので、○時○分に終わるように進めていきます。
調査の目的や時間の使い方をざっと説明する		どなたかの介護をなさっているとうかがっています。介護をなさっているときの様子や介護のお悩み、ご苦労などをうかがって、改善につながるサービスの検討に活用させていただきたいと思っています。
率直な意見や気持ちを聞きたいことを伝える		介護の仕方や介護に対する考え方は人それぞれだと思いますし、一生懸命なさっていることに正解も不正解もありません。プライベートなこともいろいろとおうかがいすることになりますが、もし言いたくないことがあれば「言いたくない」と、思い出せないことがあれば「思い出せない」と遠慮なくおっしゃってください。正直なお気持ちを聞かせていただくのがいちばんありがたいです。
参加者を師匠とみたて、自分のことをへりくだる		わたしは今日の進行役を仰せつかっているだけで、介護専門の調査員ではありませんし、介護をしたことも、受けたこともありません。とは言え、いつか介護を担わざるを得ない日がこないともかぎりませんので、今日お話をうかがって、たくさん勉強したいと思っています。
録画や録音の了承を取り、裏に観察者がいる場合は存在を伝える		先ほどご同意いただきましたので、インタビューの様子を録画・録音させていただきます。くり返しになりますが、この調査以外の目的で利用することはありません。その点はしっかりお約束させていただきます。
		もうひとつご了承いただきたいのですが、その録画機材の操作をしたり、ノートを取ったりしてくれる仲間が裏におりまして、調査の様子を拝見します。基本的には私とのおしゃべりに集中いただいて、裏のことは忘れていただいて結構ですが、裏にも人がいるという環境についてご了承ください。
心配や質問がないかどうかを確認してからはじめる		はじめる前にお伝えしたいことは以上ですが、逆になにか質問や心配ごとはありますか？
		では、はじめましょう。

▼自己紹介	1	お名前とお歳を教えてください
	2	一緒にお住まいのご家族はどなたですか？
	3	お住まいはどのあたりですか？
	4	お仕事はされてますか？
	5	どんなお仕事ですか？
	6	フルタイムでお勤めですか？
	7	ご出身はどちらですか？
	8	ご親せきやご兄弟はそちらにいらっしゃいますか？
	9	ご兄弟姉妹はいらっしゃいますか？
	10	（兄弟姉妹がいる場合）どちらにお住まいですか？
▼参加条件確認	11	在宅介護をなさっているとうかがったのですが、どなたの介護をなさってるんですか？
	12	その方は今、何歳ですか？
	13	一緒にお住まいですか？
	14	（別居の場合）自宅からはどのくらいかかりますか？
	15	介護が必要になった最初のきっかけはなんだったのですか？
	16	それは何年前ですか？
	17	要介護または要支援の認定を受けていますか？
	18	認定区分を教えてください
セクション1: 介護認定とサービス利用の関係【10分】		
▼介護認定の現状確認	19	最初に認定を受けたのはいつ頃でしたか？
	20	そのときの認定区分から変わっていませんか？
	21	（変わった場合）どのように変わったのか教えてください
	22	認定区分の判定についてはどう思われますか
▼介護認定を受けた経緯	23	介護認定制度についてはどうやって知りましたか？
	24	認定を受けようと思ったきっかけは何ですか？
	25	介護認定を受けることに対して、要介護者はどんな反応でしたか？
▼認定審査の様子	26	審査はどのように行われたのですか？　どう思いました？
	27	介護認定調査員に対してどんな印象を持ちましたか？
	28	介護認定調査員からどんな説明を受けましたか？
	29	介護認定調査員とのやり取りで印象に残っていることを教えてください
	30	再度、審査を受ける予定はありますか？
	31	（再審査の予定があれば）どうして再審査を受けようと思われたのですか？

質問には連番をふる

セクションごとに目標時間を記す

セクション2: 介護サービスの利用状況とサービス内容に対する理解度【10分】		
▼介護サービスの利用状況	32	介護保険適用内で現在利用しているサービスはありますか？
	33	それはいつ、どういうきっかけで利用をはじめたのですか？ ※認定を受ける前か後かを確認すること
	34	利用できるけれども使っていないサービスはありますか？　どうして利用しないのですか？
	35	介護保険適用外のサービスで利用しているものはありますか？　どうしてですか？
	36	介護保険適用外のサービスで利用したいものはありますか？　どうしてですか？ ※認定が介護サービスの利用状況にどんな変化をもたらすかを確認すること
	37	介護サービスを利用することに対して、要介護者はどんな反応でしたか？
▼介護サービス事業者やスタッフに対する印象	38	行政の介護サービスに対してどうお考えですか？
	39	介護サービス事業者やそのスタッフに対してどんな印象をお持ちですか？
	40	真っ先に改善してほしいと思うことを教えてください
▼家族による介護の状況	41	一緒にお住まいのご家族に手伝ってもらっていることはありますか？
	42	一緒に住んでいない家族（兄弟姉妹など）に手伝ってもらっていることはありますか？
	43	プロにお願いできるけれど、あえて家族が介護していることはありますか？　どうしてですか？
	44	プロにお願いしたいけれど、やってもらえないことはありますか？　どうしてですか？
	45	プロの介護とご家族がなさる介護の線引きはどこに置いていますか？

～中略～

クロージング【5分】
※聞き漏れがないか確認する
※観察室からの追加質問を確認する
※謝礼をお渡しして終了する

最後に観察室からの追加質問を受け付ける予定でいることを書いておく

問いの流れは「仮決め」でOK

調査の様子を想像しながらガイドをつくっていると、「これを先に聞こうか、それともこっちが先か？」「このセクションをごっそり後回しにしたほうが自然かも」「この話の流れでこっちに飛ぶんじゃないかな？」と悩みは尽きません。しかし、用意できるのはどうせ一通りです。考えられる流れを全部書き出している余裕はないし、どれだけ準備しても、ユーザーとの対話は予想とはちがう方向へ行く可能性があるし、脱線することだって一度や二度では済まないかもしれません。ガイドに記す問いの流れはあくまでも「仮決め」です。「仮決め」でガイドは完成とします。

ユーザーと対話しながら臨機応変に舵取りをするインタビューを「半構造化インタビュー」と呼びます。

ガッチリ流れを決めて、順番どおりに質問をしていくものを「構造化インタビュー」、逆に流れをまったく決めず、行きあたりばったりで進めるものを「非構造化インタビュー」と言います。出たとこ勝負の非構造化インタビューは一度もやったことがありません。そこまで信用して任せてくれる依頼主には会ったことがないし、わたしも怖くて引き受けられません。ガチガチの構造化インタビューも未経験です。準備した質問を順番どおりに聞いていくだけのインタビューなら、アンケートを準備してユーザーに自分で書きこんでもらうのと大差ありませんから。いっそのことアンケートに切り替えて、大勢の意見を集めることを目標にしたほうが得るものが多くなります。

きっちり計画を立てて予定どおりに仕事をこなしていく習慣が身についている人ほど、「仮決め」の状態を受け入れにくく、ガチッと問いも流れも決めてしまいたくなるようです。しかし、インタビューは「対話」であって、「一問一答」ではありません。対話であれば予定どおりに進まないのがあたり前です。予定に執着すれば、ユーザーの話をさえぎらざるを得ない場面が出てきます。下手に話の腰を折ってしまうと、ユーザーの口は重たくなります。対話を楽しめなくなります。そして脚色やごまかしが増えていきます。あるいは長くなるのを避けて、話を端折り、聞かれたことに端的に答えることを無意識のうちに目指すようになります。そうしてどんどん「一問一答」に近づいてしまい、深い話をなにも聞けずに終わってしまいます。つまり、深い対話を実現したければ、予定の流れをたどるのではなく、ユーザーと2人で流れをつくっていくことを目標にせざるを得ません。流れが完成するのはインタビューが終わるときです。準備の段階では「仮決め」にしかならないし、それでよいのです。

22

リサーチガイドづくり　その3

「なにがほしいですか？」と聞いてもまともな答えが返ってこない

「どんな機能がほしいですか？」「今ほしいサービスはなんですか？」とユーザーにダイレクトに聞いて、不満に思っているところを改善するのが解決策として確実な近道だと信じる人がいます。

でも、だいたい想像どおりの反応が返ってきます。スマホアプリのようなＵＩ（ユーザーインターフェイス）を伴うものの場合は、「色を変えるべし」という指摘が5割、「文言やアイコンなどの表現がわかりにくい」という指摘が2割、レイアウトとナビゲーションの話が1割ずつといった感じです。残る1割に「なるほど！」とこちらが唸るような指摘が混じってくれば御の字。打率は高くありません。

しかも、ＵＩに対する指摘ばかりになります。これはもう仕方ありません。**ユーザーが目の前にあるUIを通り越して、裏にあるコンセプトや他のサービスとの連携やちょっと遠い将来まで見据えた画期的な施策をその場でサラっと思いつくわけありませんから。**

サービスの場合も似たようなものです。どこかで聞いたことのあるサービスが出てくるか、

「もっと安くしてほしい」という要望で9割を占めます。

そこまでわかったうえで、ユーザーに直接ニーズを聞く（ナンセンスな）問いを盛り込まざるを得ない（政治的な）事情があるときは、次のような作戦で挑みます。

①日ごろ感じている不満から顕在化しているニーズを捉える

ユーザーからすんなり出てくる答えを鵜呑みにするのはたしかにナンセンスですが、「どのようなニーズがすでに顕在化しているのか」は役立つ情報になり得ます。

たとえば、「いつもこれを使っていて、手間取るなぁとか、イラつくなぁと思うことありますか？」のように改善の余地をどのあたりに感じているかを聞いてみるのがひとつの手です。そのときも**「どうなっていてほしいか」と改善案を聞くのではなく、不満や憤りといった感情の引き金になっているのがどこなのかを聞く**のがポイント。日ごろから不満を感じているユーザーであれば案外スラッと出てきます。

怒りの感情に焦点をあててもなにも出てこない場合は、「どうなっていれば今よりも楽になりそうですか？」のように聞き方を変えてみます。これは、「楽になる」「うれしい」「スッキリする」など、**よりポジティブな方向に感情を動かすための取っかかりがどこにありそうかを探る問い**です。

いずれの場合も、あまりしつこく聞くと脚色やつくり話の色が濃くなっていきます。やんわりと聞いて、ユーザーの頭にパッと思い浮かぶものがあれば聞かせてもらうくらいにとどめましょう。

②ユーザーの頭の中を（ドラえもんの力を借りて）突拍子もないところまで引き上げる

冒頭で述べたように、ユーザーに未来への願望を聞いても答えに直結する発想を聞かせてもらえる可能性はかぎりなくゼロですが、それでも「どうしても聞いてほしい」と頼まれて断れない場合、わたしはいつもドラえもんの力を借ります。

「あなたが抱えている悩みや不満を解消するひみつ道具をドラえもんが四次元ポケットから出してくれるとしたら、どんなモノが出てくると思いますか？」

こんな感じで聞くと、これが案外盛り上がります。

「どうなっているべきか、あなたのアイデアを聞かせてください」と真顔で聞くと、「こんな突拍子もないアイデアを言うのは恥ずかしい」とか、「こんなことは言われずともすでに考えただろうな」とか、「今のテクノロジーでは実現不可能だよね」とか、せっかく思いついたアイデアがあっても、適当に理由をつけて言わずに済まそうとする人が大半です。いかにも閃きました！

という表情をしたのに「いや、なんでもないです」と言って顔を伏せてしまうユーザーを何人も見てきました。

それが、ドラえもんの力を借りると不思議なことに、みなさん喋れるようになります。あのポケットからなら、どんなとんでもないモノでも出てきそうだと思ったり、自分のアイデアではなく藤子・F・不二雄さんの創作としてあり得そうだからと思えたりするのかもしれません。

23

裏方準備　その1

時間割がトラップだらけ

ガイドが完成し、リクルーティングも完了して、あとは当日を待つばかりとなったところで、とある依頼主から送られてきた時間割が図1です。「あ〜、最終日が連続4セッションできつそうだな……」とか、「パイロットセッションをやるなんて初耳なんだけども……」とか、「2日目の夕方の空き時間がイヤだな……」とか、「それよりセッション6だけなんで時間が長いんだっけ？」とか、いろいろ思いましたが、間もなくこの時間割には**2つのトラップ**が仕掛けられていることに気づきました。

1つ目のトラップは、**3日目と4日目の間に一日空きがある**ことでした。5月28日は依頼主の社内イベントがあって誰も見学に来られないから調査もしない、というのが当初から決まっていたんだそうです。社内イベントなんて知らんがな。こっちは危うくまちがえて5月28日にも会場入りしてしまうところでした……。

そして、セッション6です。一見、このセッションだけ2倍の長さに見えます。1セッションだけグループインタビューにして、時間を長めに取るようなことも実際よくあるので、最初はそ

図1

依頼主から受け取った調査当日の時間割

うかと思いました。

でもよく見ると、**19時までの目盛りは30分刻みなのに、それ以降は15分刻み**になっています！　19：00はちょっと無理だけど19：15なら行けそうだというユーザーがいたので19：15スタートにした、と。でも、目盛りを全部15分刻みに変更するのは面倒だったから、19時以降のみ変更したとかいう話で危うく納得しそうになりましたけど、まぎらわしい……。

時間割は準備すればよいってものじゃありません。関係者がまちがいなく現場入りできるようにするための極めて重要なドキュメントです。つまり、**読む人が読み取り損ねないよう配慮することが大事**。ちょっとの手抜きで大けがをしないようにするための秘訣は次のとおりです。

① 日付と曜日はいつでもセット！

まちがえて先月のカレンダーを見ていたとか、1年前の今月のカレンダーを見ていたとか、そんなうっかりミスで約束の日にちを一日まちがえた！　という経験は誰にでもあるはずです（ありませんか?）。

そこに曜日が書き添えられているだけで、ダブルチェックになります。図1の時間割にも曜日が書いてあれば、1日飛んでいることに気づきやすかったことでしょう。

②調査のない日を省略しない

連続7日間とかなら、間に1日休みを入れることもありますが、4日くらいなら連続してちゃちゃっと調査をこなしてしまう……ものだという先入観がこちらにあったことも否めませんが、それにしても前日の帰り際まで気づかなくて本当に危なかった。

人の認知は、頭の中にある既有知識や期待にもとづく「トップダウン処理」と、外界からの知覚刺激を受け取る「ボトムアップ処理」が相互に作用し合う仕組みになっています。「日にちは連続しているもの」という既有知識や、「4日の調査で中休みがあるはずない」という思い込みによるトップダウン処理が日にちを見たときのボトムアップ処理に勝った結果、5月28日が抜けていることに気づき損ねたと考えられます。

そういうわけで、たとえ調査のない日でも、万国共通のカレンダーどおりに日にちを並べて、誰もがミスなく情報を読み取れるよう図2のような気の利いた時間割をつくりましょう。

③時間の目盛りは一定間隔にする

ひとつのグラフやチャートの中で目盛りの間隔を変更するような意地悪をするはずがない……という期待が頭の中にありましたから、これもトップダウン処理が勝ってしまった例です。

だいたい、途中から目盛りの間隔を変えるなんて、データを正しく読み取られたくないときの定石じゃありませんか。データを扱う調査にかかわる仕事をしている人がすることではありません。

図 2

誤解なく読めるように工夫した時間割

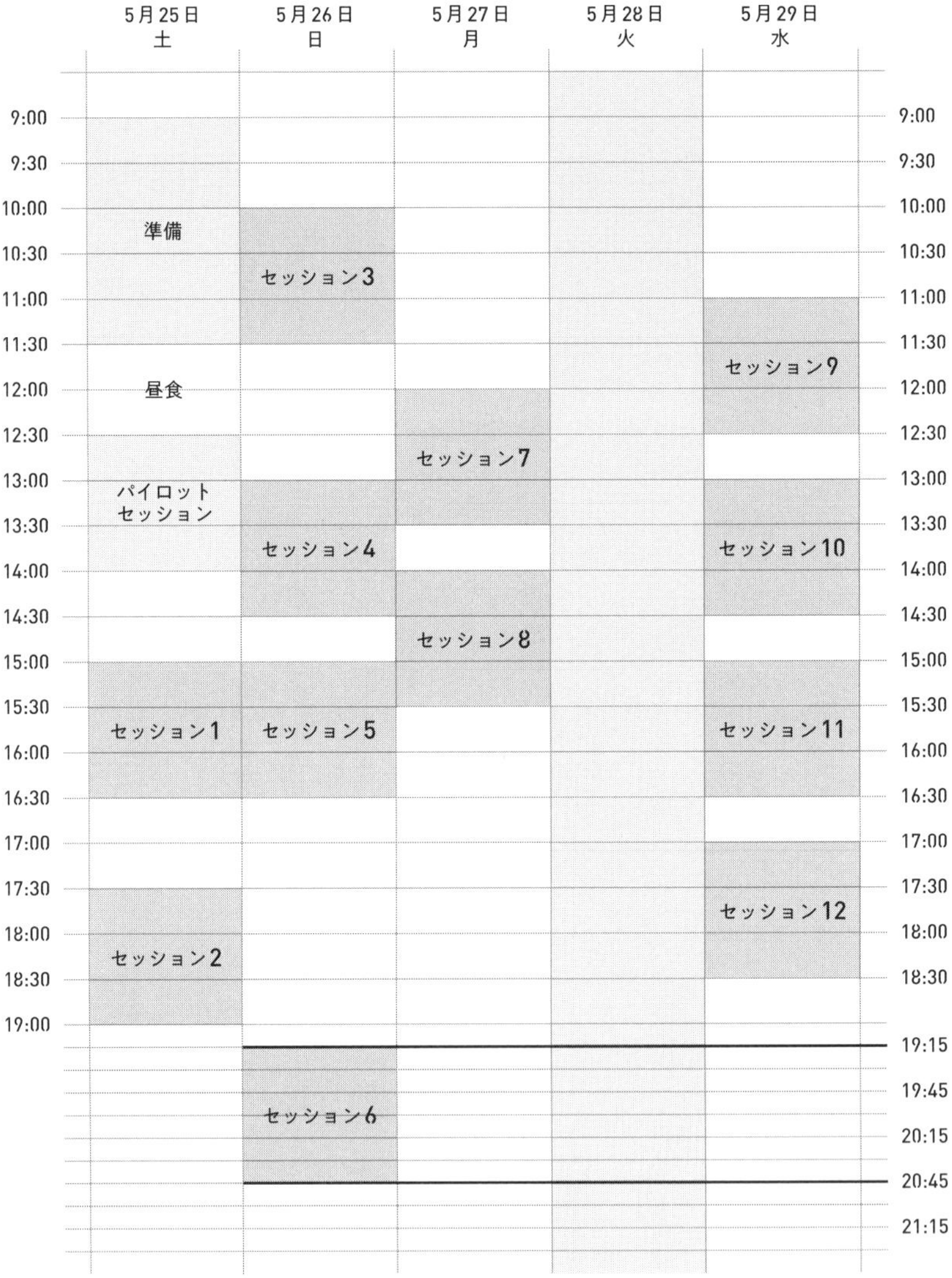

	5月25日 土	5月26日 日	5月27日 月	5月28日 火	5月29日 水
9:00					
9:30					
10:00	準備				
10:30		セッション3			
11:00					
11:30					セッション9
12:00	昼食				
12:30			セッション7		
13:00	パイロット セッション				
13:30		セッション4			セッション10
14:00					
14:30			セッション8		
15:00					
15:30	セッション1	セッション5			セッション11
16:00					
16:30					
17:00					
17:30					セッション12
18:00	セッション2				
18:30					
19:00					
19:15					
19:45		セッション6			
20:15					
20:45					
21:15					

24 裏方準備 その2 まちがえてユーザーを観察室に通しちゃった……

会場に現れた人が、約束のユーザー本人であることをどうやって確認するのか。そもそもそんな本人確認が必要なのか。たかが数千円の謝礼目当てに、なりすまして潜り込んでくるような人がいるはずはないから、そこまで神経質にならなくてもよいのではないかと思われるかもしれません。たしかに、会って早々に身分証明書を出してもらうのは、最初から相手を疑っているようで居心地が悪いです。でも、本人確認を怠って、史上まれにみる恐ろしい失敗をしたことがあります。

約束の時間をすぎてもユーザーが現れず、リクルーティング担当者が電話をかけたところ、観察室のうしろのほうに腰かけている人の携帯電話が鳴りました。「まさかね……」と、その場にいた全員が思いましたが、そのまさかでした。

観察室から調査の様子がどう見えるのかをバッチリ知ってしまったユーザーを相手にインタビューをするつらさ、想像できますか？

こんな悲劇を生まないように、かつ**ユーザーに失礼のないようエレガントに本人確認をするた**

めの対策を3つ紹介します。

①ユーザーリストを用意する

リクルーティング会社にユーザーを集めてもらった場合は、アンケートへの回答をまとめたものを提供してもらえるはずです。それを一覧しやすく、読み取りやすい形に整とんしたものが図1の「ユーザーリスト」です。当日、どんなユーザーなのかを把握したうえで調査に臨めるようにするために作成します。ただしこのユーザーリストは、観察に来た人たちとも共有することになりますから、ユーザーの氏名は書き込みません。個人情報が流出する危険を最小限におさえるためです。

②部屋へ通す前にかならず氏名を確認する

受付で氏名を確認するために、①のユーザーリストにユーザーの氏名を書き込んだものを別に一部だけ用意して、受付担当者が管理します。「社外持ち出し禁止」「コピー不可」という扱いにして用心しましょう。

まちがいを防ぐ意味で、ここで身分証明書の提示を求めるのも一手ですが、観察に来た依頼主側の人にまちがえて身分証の提示を求め、社員証を出されたうえに、運悪くユーザーが後ろからそれを見てしまうような間の悪いことが起きないともかぎりません。**お名前を聞いて、リストと**

図1

「読書に関する調査」のアンケート結果を一覧にまとめたユーザーリスト（抜粋）

	参加者番号	P1	P2	P3
	日時	4月26日（金） 10：00 - 11：30	4月26日（金） 13：00 - 14：30	4月26日（金） 15：00 - 16：30
	性別	男	女	女
	年齢	44	25	35
同居の家族	配偶者（夫または妻）	●	–	●
	子ども	–	–	●
	自分または配偶者の親	–	–	–
	自分または配偶者の祖父母	–	–	–
	親せき	–	–	–
	ひとり暮らし	–	●	–
	その他	–	–	犬
職業	就業形態	会社員	会社員	専業主婦
	業界	電子機器メーカー	医療保険	–
	職種	営業	営業事務	–
読書	好き／嫌い	どちらかというと好き	好き	好き
	読書頻度	ほとんど毎日	毎日かならず	毎日かならず
最近購入した本	タイトル	世界のビジネスリーダーがいまアートから学んでいること	さざなみのよる	子育てのイライラがスーっと消える 魔法の絵本
	著者	ニール・ヒンディ	木皿　泉	おおた　きょうこ
	価格	￥918	￥1,512	￥1,296
	購入場所	駅の本屋	Amazon	近所の本屋
	形態（紙／電子書籍）	電子書籍	紙	紙
	購入日	3月30日ころ	4月20日	4月11日
読書カテゴリー	マンガ	–	–	–
	ライトノベル	–	●	–
	小説・文芸	–	●	●
	ビジネス	●	–	–
	科学・テクノロジー	●	–	–
	趣味・実用	●	●	●
	雑誌	–	–	–
	写真集	–	–	–
	その他	–	–	絵本・児童書
読む本の形態	紙の書籍	●	●	●
	電子書籍	●	–	–
電子書籍を読むときのデバイス	スマートフォン	–	–	–
	電子ブックリーダー	–	–	–
	タブレット	●	–	–
	デスクトップパソコン	–	–	–
	ノートブックパソコン	–	–	–
	その他	–	–	–
上記デバイス持参の可否	持参できる	●	–	–

照合するのが安全で確実です。

珍しいところでは、「〇〇の調査にお越しの方は当ビル6階までお越しください」と書いた案内を1階に出しておいたときに、それを見た通りすがりの人が「調査に来ました」と上がってきてしまったことがありました。そのときは予定していたユーザーと性別がちがったので、すぐに気づいて事なきを得ましたが、同性で同年代の人だったら、思い込みから中へ通してしまうようなミスをしてしまったかもしれません。名前を確認するというルールを徹底すれば避けられる事故です。

③調査の冒頭でも名前を確認する

受付を突破された場合に備えて、最後の防波堤です。

なんてことはない、**冒頭でユーザーに自己紹介をしてもらうようにしてあれば大丈夫。**『21重たい質問を早く出しすぎてとっ散らかる』の対策②で紹介したとおり、リクルーティングのときに聞いたアンケート回答を確認する意味合いの質問もいくつか散りばめておきます。もし、通りすがりの人が調査に紛れ込んでいたとしたら、そこでなにかしらの違和感を覚えるはずです。いったん立ち止まって、予定していたユーザーにまちがいがないかどうかを確認してください。

ユーザーの識別番号

人に番号をふるなんてちょっと失礼な話ですが、データを管理し、共有しやすくするためには避けられません。

「1」「2」……と番号だけでもことは足りますが、他の意図で登場する数字と混同することのないように頭文字をつけるのが通例です。いちばん多いのは、「参加者」という意味の「Participant」から頭文字を取って「P1」「P2」……とするケースです。「被験者」や「被検体」を表す「Subject(s)」から「S1」や「Ss1」のような記号を使っていたこともありましたが、そのニュアンスが嫌われて「Participant」や「Respondent」が使われることが多くなりました。情報提供者という意味で「Informant」という表現を使うこともありますが、その頭文字「I」を使うと数字の「1」との区別がしにくく、混乱の原因になるので避けたほうがよいです。

決まりごとではありませんから、自分たちで使いやすい記号を使えば大丈夫です。大事なのは、関係者全員が同じ記号を使うことです。図1のようにユーザーリストに記載すれば、かんたんにルールを周知できます。

25

裏方準備　その3

観察者が足をひっぱる……

せっかく実施するユーザー調査ですから、**多くの関係者に見にきてもらえるよう根回しするのも大切な準備のひとつ**です。でも、頑張ってアピールして、「見に行ってみようかな……」とやっと言ってもらった観察者たちの存在が、調査当日のネックになることも少なくありません。たとえば、遅刻です。

ユーザーが約束の時間よりもかなり早く到着したことを知って、次のような台詞を言い放った依頼主がいました。

「いくらなんでも早すぎ……。こっちの面子が揃うまで待たせておいて」

ユーザーに対する敬意の感じられないヒドイ物言いです。

さんざん待たされたユーザーから「もう時間を過ぎてるんですけど、まだですか?」「予定の時間に終わらないと困るんですけど、大丈夫ですか?」と、せっつかれたこともあります。誰だって待つのは嫌ですし、軽んじられているようで不愉快ですよね。そうしてユーザーの気分を害してしまうと、「とっとと終わらせて帰りたい」という気持ちが強くなり、前向きに調査に参加してもらえなくなります。つまり、調査の質が下がります。よい調査を実施するには、観察に来る人たちにも守ってもらわなければならない次のようなルールやマナーがあります。

①「社名を名乗らず、氏名を名乗る」よう事前にお願いする

どのセッションを誰が観察に来るのかは、依頼主にお願いして事前に知らせてもらいます。そして、会場の受付では決して社名を名乗らず、氏名を名乗るよう事前に周知してもらいましょう。

観察者の事前の届け出なんてなくても、社名を聞けば済む話だと思うかもしれません。「調査にお越しになった方ですか？」みたいな遠まわしな聞き方をせず「○○株式会社の方ですか？」と聞ければたしかに話は早いです。でも**観察者とユーザーが鉢合わせする可能性が実際に少なくないので、会場の受付では社名を聞かないし、言わない。**これは鉄則です。

調査の依頼主である企業や団体が何者であるかを知ってしまったユーザーの反応は歪みます。聞いている人を喜ばせてあげようと、その企業や団体を必要以上に持ち上げる発言が増えたり、逆にもともとあまり好きではない企業が裏にいる調査だと察しがつくと、否定的な意見が強くなったりします。ここぞとばかりに文句を言ったり、けなしたり、商品やサービスではなく企業に

対する気持ちが前面に出て、悪口三昧になってしまう可能性があるのです。

どちらに転ぶにしろ好ましいことではありません。依頼主自らがバラしてしまわないよう、その影響とあわせて周知します。

②別室を用意して遅刻をフォローする

ユーザーには、「遅れた場合は参加をお断りすることになります」くらい厳しいことを言っているのに、依頼主のほうは遅刻をものともせずということでは困ります。約束の時間をすぎているのに「観察室に人が揃っていないから」という理由でスタートを遅らせることはあってはなりません。

しかし、依頼主相手に厳しく言うのはむずかしいし、どう言っても遅れてくる人は出てきます。もし、忙しい人たちが大勢観察に来るとか、調査の最中も観察室を出入りする人が多くなりそうだといった状況が事前にわかるのであれば、**インタビュールームから離れた別室や自社の会議室で観察できる環境をつくる**ことを検討します。

窓越しにユーザーの姿を見ながら、ユーザーの発言や行動を観察できることの価値は大きいです。でも、部屋の様子をいくつかのカメラで捉え、それをリアルタイムで別室へ飛ばして見られるようにする技術や環境はすでに十分に整っています。たくさんの上司や同僚にユーザーの声を聞いてもらいたいと思うなら、そんな方法を試してみてください。

ただし、「あとで録画を見ればいいか……」とか、「だったら、各自のPCで見られるようにしてよ……」とか言い出す人がかならず出てきます。「あとで録画を見る」も「自席で1人で見る」もおそらく実現しません。見てもらいたいなら、場所を決めて集まってもらい、リアルタイムで見てもらうか、それも無理なら「上映会」という形で後日改めて場を設けるのが得策です。

③ 観察室以外の場所でも油断しないよう徹底する

受付をクリアしたからと言って、油断は禁物です。たとえば廊下に出て、仕事の電話をかけ、「○○株式会社の誰それです。いつもお世話になっております」みたいな台詞をいつものように言ってしまったところを、トイレに向かうユーザーに聞かれてしまうとか、ぜんぜんあり得ます。

帰ろうと思って乗ったエレベーターに、ユーザーが乗り合わせる可能性だってあります。ユーザーが退出してから十分に時間をあけたつもりなのに、トイレに寄ったり、帰る前に電話で用事を済ませたりしていたらしきユーザーとエレベーターで鉢合わせしてしまったことも少なくありません。

調査を観察したあとの帰り道、インタビューで聞いたり見たりした内容を記憶が鮮明なうちに同僚と歩きながらふり返っておきたいと思うかもしれません。しかし、**少なくともビルを出るくらいまではガマンしてください。**自分に関連があったり、興味があったりするキーワードは、騒音の中でも聞き取ることができるように人間の脳はできています。カクテルパーティ効果や音声の選択的聴取と呼ばれる機能です。調査で聞かれた内容や自分が語った内容を持ち出して議論する2人の声がユーザーの耳に届いてしまう可能性を忘れてはなりません。

Column

外国人を連れてのお宅訪問はご用心!

欧米企業からの依頼で訪問調査の手伝いをすることがあります。生活習慣や文化のちがいをできるだけ効率よく知るには、インタビュールームで話を聞くよりも、ユーザーの生活環境に出向き、その中で話を聞くのが賢明な作戦です。が、外国人を連れていくってかなり大変。エピソードには事欠きません。

調査のあと、まっすぐ空港へ向かい帰国するからといって訪問先までスーツケースを転がしてきたうえに、足元はロングフライトに備えてサンダルに裸足。ゆるゆるのジャージの裾は雨でビショぬれです。

日本の家では靴を脱ぐものだと知っていながら、ロングブーツをはいてくる女子に、紐をほどかないと脱げないスニーカーの男子。狭い玄関で靴を脱ぐのが大変だとわかった途端に、玄関の外でとっとと靴を脱いでしまうような展開もあるあるです。

キャスター付きのスーツケースを、遠慮なく家の中でもゴロゴロ転がして運ぼうとするし、トイレの床にも平気で置いちゃっているバックパックを食卓の上にドカンと置こうとするのもよくあります。

満員電車での移動に備えて荷物を少なくしてくるようにと言ったのに、「日本限定発売のスニーカーを見つけちゃった」と途中で買い物をしてしまう人はいるわ、ちょっと目を離したすきにスターバックスに寄ってコーヒーを買い、訪問先にもそのまま持っていこうとする人はいるわ、お邪魔するやいなやスマホの充電をはじめる人はいるわで、調査と関係ないところでもうクタクタです。

観察に来る人たちへルールやマナーを徹底するのと同じように、外国人と一緒に訪問調査をするときには特に、事前のレクチャーが必須です。

26 裏方準備　その4

エライ人にちゃぶ台をひっくり返されそうになる

何事も練習を重ねてから本番に望むのがよい結果を生むには大切で、ユーザー調査も例外ではありません。本番に先立って**パイロットセッション**（ランスルー、ドライラン、予備セッション、リハーサルなど呼び名はさまざまですが、本書では「パイロットセッション」ないしは「パイロット」とします）を行うのがあたり前……とはなかなかならないのが現状です。

本番当日の1セッション目を見学した依頼主のお偉いさんに、言葉づかいみたいな小さなことから、調査の目的のような大きなことまでいろいろ言われて、あわや全部仕切り直しか……となりかけたことがありました。以来、パイロットセッションをかならず行うようにしています。

そして、やるからには効率よく効果的なパイロットをしたい。そのための対策は次のとおりです。

①パイロットの前にブリーフィングを行う

依頼主にも同席してもらってパイロットを行うときには、**どんな目的を達成するために、どう**

いう意図でどんな問いをぶつけていくつもりなのかを、行動観察の場合は、ユーザーのどんな行動に注目し、それが起こる環境や文脈のどんなところを確認するつもりなのかを、ガイドをベースに説明する「ブリーフィング」の時間をかならず取りましょう。

「読めばわかる」と高を括り、ガイドを渡すだけ渡していきなりパイロットを見せて、それが思いのほかうまく行かずにすったもんだすれば、全体的な枠組みに疑問を持たれても仕方がありません。

②パイロットと本番1セッション目との間に時間のゆとりを持つ

パイロットセッションを行うのは、本番に挑む準備が整っているかどうかを確認したいからです。ガイドに従ってひととおり流してみて、調査の目的を達成するために必要十分な調査設計をできているかどうか、次のような点を確認します。

- ひとつひとつの問いはわかりやすく表現できているか
- 問いの流れはユーザーの思考に寄り添うものになっているか
- ユーザーに触れてもらう商品やサービス（あるいはそれらのプロトタイプ）は問題なく動くか
- 時間の見積もりは妥当か
- 調査の目的を達成できそうか

本番さながらにデータを取るつもりで流してこそのパイロットではありますが、**いちばんのねらいは調査設計の確認です**。結果によっては、ガイドにかなり手を入れることになりますから、**そのための時間を見越しておくことが重要です**。本番当日ではなく、前日にパイロットをできればかなり安心ですが、そこまでしなくても、パイロットと本番1セッション目との間に長めのインターバルを設けられれば十分です。

③同僚相手にパイロットを行う

社内にいる手すきのスタッフを相手にざっと通してみるレベルから、ユーザーを1人余分にリクルーティングして、本番さながらに実施する本気レベルまで、パイロットセッションのレベル感にもいろいろあります。

後者であれば、リクルーティングをはじめる段階で数に入っている必要がありますし、かかる費用も予算に組み込まれていなければなりません。前者であれば本番直前になって急きょ、という展開でもなんとかなるでしょう。

本気レベルのパイロットを行うほうが、発見が多くて効果的なのはまちがいありません。でも、**間に合わせ的なパイロットでもしないよりは絶対によいです**。知った顔の同僚が相手でもひととおり流してみたからこそ気づくことはあります。気さくにしゃべれる相手だからこそ、この質問の意味がわかりにくいとか、ここは答えにくいとか、ここで話が飛んですこし戸惑ったとか、ざっくばらんに言ってもらえることもあるでしょう。

④パイロットの位置づけを決める

本番1セッション目をパイロット扱いにするというケースもあります。「1人目は練習みたいなものだから、気楽にやって」と依頼主に言ってもらうとすこし肩の荷が下ります。

だからといって、**本当に気楽にやって1人目のデータはほぼ使いものになりませんとなったら、それはそれで怒られます**。パイロットセッションを別に行う予算を取れなかったので、1セッション目をパイロットにしようと内輪では話がついていたとしても、お金を払うほうからしたら本番は本番です。しっかりとデータが取れることを期待しています。

逆に、本番とは別に設けたパイロットセッションのデータも分析に盛り込まれるものだと考える依頼主も少なくありません。中途半端かもしれませんがせっかく取れたデータですし、使えるものはぜんぶ使いたい気持ちもわかりますが、データが増えるということは分析やレポーティングにかかる時間が増えるということなので、そこにはやはりコストが……。

ということで、**パイロットセッションの位置づけについては、事前にしっかり取り決めておかないと、あとからもめます**。もめないように、次の3項目についてそれぞれどちらでいくかを早めに話し合っておきましょう。

●パイロットは……本番とは別枠とする／本番の1セッション目とする
●パイロットのユーザーは……本番と同様にリクルーティングする／同僚など手近な人で代替する
●パイロットで得られたデータは……分析の対象とする／分析の対象外とする

27

裏方準備　その5

同意書に署名してもらえず、説明に時間が浪費される

調査に協力してもらうユーザーには、まず図1のような「同意書」に署名をもらうのが通例です。

ざっと目を通してすんなり署名してくれる場合がほとんどですが、例外もあります。

「これ、なにが言いたいのかわかりません。なにに同意することになるのかをきちんと理解できないので署名したくないです」

そう言われてしまって冷や汗たらたらになったことがありました。最終的には渋々ながらも署名してくれたのでなんとかインタビューできましたが、説得するのにかかった時間はそのままロスタイムです。本来なら調査にあてられた時間がかなり減ってしまいました。

そんなことにならないように打てる手は次のとおりです。

図1

ユーザーに署名してもらう「同意書」のサンプル

「○○○○○に関するインタビュー調査」へのご協力のお願い

株式会社XYZが実施する「○○○○○に関するインタビュー調査」にご協力いただき、ありがとうございます。
調査に先立ちまして、以下にご同意いただける方はご署名をお願いいたします。

1. このインタビューは60分を予定しています。インタビューへのご協力は任意です。
2. インタビューの様子は、関係者が別室で観察させていただきます。
3. インタビューの内容を追って分析する目的で「音声の録音・ビデオ（映像）の録画」を行います。記録された「音声」および「映像」は本調査の関係者により閲覧されますが、それ以外の用途で開示・利用されることはありません。
4. もし質問に答えたくない場合には、お答えにならなくても結構です。また、調査への参加を中断したい場合は、その旨をお申し出ください。その場合にも、何ら不利益を受けることはありません。
5. 本調査により得られた情報は、弊社から本調査の依頼主へ報告されますが、皆様のお名前をはじめ個人が特定され得る形で報告されることはありません。皆様のプライバシーの保護には十分配慮いたします。
6. 今回の調査を通じて皆様が知り得た調査内容、調査中に提示された情報等、本調査に関連する一切の情報につきましては、調査終了後に第三者（親族、友人等を含みます）に漏洩することのないようお約束ください。ホームページやブログ、SNS等への書き込みもご遠慮ください。
7. 本同意書は弊社の必要とする期間、厳重に保管管理したのち、個人情報が漏洩しないよう十分に配慮して粉砕・破棄いたします。

株式会社XYZ
住所：XXXXXXXXXXXXXXXXXXXXXXX
連絡先：YYYY＠XYZ.co.jp（担当：ZZZZ）

同意書

株式会社XYZ　御中

上記内容を十分理解し、承諾したうえで、
「○○○○○に関するインタビュー調査」に参加します。

年　　月　　日
ご署名：

①同意書の「わかりやすさ」を事前にチェックする

冒頭の事務手続きでユーザーにへそを曲げられては困ります。法務からの要請でどうしても書かなければならない文や使わなければならない用語はあるかもしれませんが、**可能なかぎり日常的な言葉づかいで、次のような内容をもれなく、わかりやすく書くことを心がけてください。**

- ユーザーが拘束される時間
- 参加は任意であり、強制されるものではないことと、途中でも辞退できること
- ユーザーから見えないところで観察している人の存在
- ユーザーが提供した情報（録画や録音を含む）の扱われ方
- ユーザーのプライバシーが保護されること
- ユーザーも調査に関連する情報を漏洩してはならないこと

書きあがった書面を、調査にも法務にも詳しくない同僚に読んでもらい、一読で理解できるかどうかを確認したうえでユーザーの前に出しましょう。

法務との折り合いがつかず、理解に苦しむ文書を使わざるを得ない場合は、**参加者に事前に送付し、目を通し、署名したものを持参してもらう**手を考えます。また、外国の企業や団体が用意した外国語の同意書に署名をしてもらわなければならない場合も事前送付が有効です。日本語に

訳したものもかならずセットにしますが、当日それを見せられても原文を読めないユーザーはただ信じるしかありません。「そっくりそのまま翻訳した書類だ」と納得してもらえる時間をとりましょう。

「こんなわけのわからないものに署名しなければならないのなら参加をやめます……」というユーザーが現れる危険性はもちろんあります。それが嫌なら、同意書のほうをわかりやすくする、日本語訳への署名で了承してもらえるよう依頼主にかけ合うなどの手を打ちましょう。

②同意いただきたい内容を口頭でも説明する

同意書の内容が長くて、小難しくなってしまった場合は特に、「むずかしく書いてありますが、要はかくかくしかじかこういうことです」と要約して伝えたり、「読んでわからないところがあれば遠慮なく聞いてください」と一言添えたりしてユーザーに配慮することが大事です。

そのために、**モデレーターは同意書の内容に事前に目を通しておくこと**。そこはリクルーティング担当や受付の仕事だから……と切り分けて、任せっきりにしておくと、いざユーザーから質問されたときになにも答えられず不信を買います。

③録画と録音についてはリクルーティングの際に了承を得る

ぶっちゃけ、ユーザーの言動を逃さず完ぺきにメモできれば録画も録音も必要ありません。

とは言え、あとで見直せる聞き直せるという安心感が現場のパフォーマンスを上げる効果も捨てがたい。これに対して確実に同意を取り付けるには、**リクルーティングの段階でしっかりと参加条件に書き添えておくこと**です。それを承知のうえで応募してきたユーザーが、当日現場で録画を拒否することはほぼありません。

依頼主に映像や音声のデータを納品する場合には、保管方法と保管期限、期限がきたときの廃棄方法などの規則を事前に確認しておくことをおすすめします。「録画するのはいいけど、そのデータがいつまで、どのように保管されるのかを教えてください」というリクエストを受けてあたふたした経験がありますので。

第4章

ユーザーと向き合う

いざ本番！セッション中の落とし穴

心構え　その1

28 早口でまくし立てて、結局余分に時間を食う

リサーチガイドにものすごい数の質問が並んでいると焦ります。そして、焦るあまりに挨拶や自己紹介をかなりの早口でまくし立てて、失敗したことがありました。

「よく聞き取れなかったので、もう一度お願いできますか？」

と、ユーザーに言われてしまったのです。慣れないうちはありがちなミスですが、それを見越して打っておける対策があります。

① 事務手続きや注意事項を伝えるのは「時間外」で行う

調査にご協力いただくにあたっての注意事項を伝え、同意書に目を通して署名をもらう時間を最初から枠外で見積もっておく手がひとつ目です。遅刻への対策もかねて、10分前には来てもら

うようお願いしておきましょう。

ただし、会場のどこかにお待ちいただくスペースがない場合は、逆に困ったことにもなり得ます。用心した結果、中には30分も前に到着してしまうユーザーもいますので。待機いただく場所を確保できない場合は、その旨を事前に伝えて時間厳守をお願いします。

いずれにしても『27 同意書に署名してもらえず、説明に時間が浪費される』に書いたとおり、準備に抜かりがあると思わぬ時間を食ってしまうところではあるので、まずはそちらの対策に万全を期すことが肝心です。

② ラポールづくりにかかる時間はゆずらない

ユーザー調査でもっとも大切なのは「ラポール」です。「関係」や「つながり」を表すフランス語の「rapport」が語源です。**ユーザー調査の文脈では、互いに信頼し合い、遠慮なく、心を開いて語り合える関係を「ラポール」と呼び、ユーザーにお会いしてまず目指すのは、このラポールをつくることです。**

ユーザーの立場で考えてみてください。わずか1時間程度とは言え、見ず知らずの他人から根掘り葉掘り質問をされるわけです。行動観察なら、自分の一挙手一投足に矢のような視線が注がれることになります。心の内をさらけ出して本音を語れと言われても、見られていることを忘れていつもどおりにふるまえと言われても、それはとてもむずかしいはずです。結果として、無難な受け答えや、とりつくろった行動に終始してしまうでしょう。

それでは調査は失敗です。ユーザーの真の姿を見せてもらうために、心の内を正直にさらけ出してもらうために、さらにはユーザーが意識していない深みにまで踏み込んで気づきを得るためには、ちょっとやそっとでは崩れないラポールが必要です。

どんなに熟練してもラポールづくりにはそれなりの時間がかかります。毎回ちがうユーザーを相手にするのだからあたり前です。だからこそ、**その時間を不可欠な時間として最初から見積もっておくこと**。これが、いきなり焦って失敗しないための2つ目の秘訣です。

特に、電話インタビューをはじめとするリモート調査の場合は、ラポールをつくるのも、できたかどうかを確認するのもむずかしくなります。対面調査のとき以上にしっかり時間を確保するようにしましょう。

自己紹介とそれにつづくかんたんな質問のくだりにはできれば10分くらいの時間を見積もります。「イントロは2分くらいでさっさと済ませて……」みたいな無茶を言う依頼主もたまにいますが、ラポールづくりの大切さを伝えて、少なくとも5分は死守しましょう。

29

心構え　その2

エライ人がいっぱい観察に来て緊張マックス

モデレーターの緊張は、まちがいなくユーザーに伝染します。下手をすると、2人で緊張を高め合った結果、いつまでたってもラポールができなくて青ざめることになります。

パイロットセッションではリラックスできていたのに、観察室に揃った上司やら、そのまた上司やらの姿を見て、無駄に緊張してしまう新人の姿をこれまで何度も見てきました。大勢の視線がモデレーターである自分に注がれることを想像して緊張してしまう気持ち、わかります。

「朝イチで社長が見に来るから、バッチリ頼むよ！」

と、追い打ちをかける人もときには現れます。モデレーターに無駄な緊張をあおるのはやめましょう。観察に来る人たちは、次のような策を逆に伝授してあげるくらいの存在でいてほしいです。

①ユーザーの目に映る自分の姿をチェックする

社長みたいなエライ人を含む大勢の視線が自分に集まると思えば、緊張するのはあたり前です。しかし、観察室のお歴々が注目するのはユーザーの言動であって、モデレーターのものではありません。

モデレーターが意識しなければならないのは、むしろ**ユーザーからの視線**です。「インタビュー」とカタカナにするとその本来の意味がぼやけますが、もとは「互いに（inter）」と「見る（view）」というふたつの意味が組み合わさっています。

「ユーザーにインタビューする」のように言うのが慣例になっているため「モデレーターが一方的にユーザーを見る」印象を持ってしまいがちですが、言葉が示すとおりに「ユーザーもモデレーターを見」ます。その視線を意識することこそが大事で、観察室からの大量の視線は二の次です。

とは言え、ユーザーがモデレーターに対して鋭い視線を向けつづけるとなれば、やはり緊張はほぐれません。ユーザーの視線を和らげ、あたたかいものにするためにも「ラポール」が肝心です。そのための第一歩は、**自分の姿やふるまいがユーザーの目にどう映るかを気にかけること**です。

ユーザーの五感を必要以上に刺激しかねない装いや香りは避けましょう。カレーライスとかラーメンとか餃子とか、ニオイが残るものを直前に食べるのも控えます。インタビューでなくても、話し相手の歯に青のりがついているとか、鼻毛が出てるとか、気になりますよね？　気になっても言えなくて、見ないようにしようと思えば思うほど目に入ってきて、話に集中できない。相手がそんな状態ではラポールはできません。まずは自分の身なりをしっかり整えて、ラポールづくりに集中できるようにします。

②緊張していることをユーザーと共有する

油断なくユーザーと対峙するには適度の緊張感も大事です。でも、その緊張がユーザーの目にも明らかではいけません。なにせ、ユーザーもモデレーターをしっかり見ていますからすぐにバレます。

はっきり言って、ユーザーのほうがよっぽど緊張しています。「なにを聞かれるんだろう？」「答えられなかったらどうしよう？」「わたしなんかで役に立つの？」と不安な気持ちでいっぱいのはずです。そんなときに、モデレーターのほうがぶるぶる震えていたり、声が上ずっていたり、冷や汗たらたらだったりすれば、ユーザーの緊張はさらに高まります。

緊張感を高め合うという負の連鎖を避けるためには、**まずモデレーターがリラックスすること**が欠かせません。準備万端で本番に臨みます。そのうえで当日、ユーザーが来る前に次のようなことを試してみてください。

●深呼吸と伸びをして、身体の緊張をほぐす
●無理やり口角を上げて笑顔をつくる
●最初の声かけに使うネタ（天気の話題が鉄板です）を決める
●失敗しても「次がある」と自分に言い聞かせる

それでもどうにも緊張がほぐれないときは「緊張して……いらっしゃいますよね？　なにを隠そうわたしの方も緊張マックスです笑。がんばりましょう、お互いに」という風に、緊張して仕方ないという心境をユーザーに吐き出してしまってください。

立場はちがっても、「自分だけじゃない」と思えればお互いに気が楽になります。しかも、こちらが正直に自分の弱さを認めることで、ユーザーも緊張を隠そうと無理をする必要がなくなり、リラックスしやすくなります。笑顔はもちろん、笑い声を添えて陽気に言えればさらなる効果が期待できます。

30

ラポール形成　その1

ユーザーの緊張がぜんぜんほぐれない……

ユーザーの緊張がなかなかほぐれず、ラポールづくりに手間取るというのもよくある展開です。

とある電化製品のOut-of-the-box調査（商品購入後、箱から出して使える状態にするまでの様子を観察する調査で「OOTB調査」と略して呼ぶこともあります）をしたときのことです。ユーザーの中に、専業主婦歴50年というお母さんがいました。見るからに緊張していました。商品の箱を手に持ってはみるもののなかなか開封へ進まず、話す声も次第に小さくなっていきました。

「なにか心配なことはありますか？」と声をかけてみてやっと、緊張がほぐれない理由がわかりました。

「壊してしまってはいけないので……。前にわたしが触っておかしくしてしまったことがあって、うちでは電化製品に触らないようにと主人と息子から言われているものですから……」、わたしが触ると壊れるかもしれないと思いまして……」

こうして自分は不適切なのではないか、かえって迷惑をかけてしまうのではないかと心配しているユーザーは少なくありません。そんなユーザーの緊張を和らげるための対策です。

①壊れても大丈夫！ を伝える

先のお母さんのように、過去の経験がトラウマになって行動を起こせないほどのケースは稀ですが、壊してしまったら申し訳ないし、自分がそんな失態を犯すのが恥ずかしいといった心境から、ふだん以上に慎重な行動を取るユーザーは少なくありません。それでは実態とかけ離れてしまうので調査の意味も半減します。

調査の中で、なにかを使ってもらったり、触ってもらったりする場合には、**壊れる心配は少ないことや、もし壊れたとしてもユーザーの責任にはしないことをしっかり伝えましょう**。同意書にも書いておけば、安心して調査に参加してもらえます。

壊れてしまったまさかの事態に備えて、**予備を用意しておく**ことも重要です。予備を見せながら「もうひとつあるので壊れても大丈夫ですよー」と言ってあげられれば、ユーザーの気持ちはなおさら軽くなります。

②正解はない！　を伝える

ユーザーの緊張は、「評価」されることに対する恐怖の現れでもあります。自分をよく見せたい、カッコ悪い自分を他人に見られたくないという心境は人間なら誰もが持っています。放っておくとユーザーは「正しい答え」や「よい答え」を無意識のうちに探してしまいます。

一方の調査する側は「正しい答え」など求めていませんし、求めてはいけません。想定どおりの答えを聞いて納得するために調査を行うわけではありませんから。むしろ想定外のことが聞けて、目が覚める思いをすることにこそユーザー調査の意義があります。

脚色のない正直な気持ちを語ってもらうために、冒頭で次のように伝えてください。

「人の意見には正解も不正解も、よいも悪いもありません。人それぞれ意見や考え方はちがってあたり前です。ぜひ○○さんの率直で正直なご意見やお考えをたくさん聞かせてください」

この時点で「わかりました」とうなずいたユーザーでも、質問に答えてから心配になって「こういう答えで合ってます？」と聞いてきたり、答える前に「どう答えるのが正解ですか？」と確認したり、正直になり切れないユーザーも少なくありません。そういう反応が出たときは、毎回かならず「正解なんてないですよ」とくり返します。

③「なにを言われても傷つかない」と宣言する

自分の発言が相手を傷つけてしまうのではないか、目の前にいるこの人（モデレーターのことです）があとで誰かに怒られたり、困ったことになったりするのではないか……と思うと、いくら「正直に」と言われても、悪くは言いにくいと思ってしまうのが人情です。

モデレーターが外部の人で、調査のテーマにあたる「モノ」の専門家ではなく、それをつくったり、販売したりすることに直接かかわっていない場合は、それを伝えたうえで、

「なにを言われても傷つきませんから、遠慮なく思ったとおりの気持ちを聞かせてください」

と言ってあげてください。これで、ユーザーの緊張はかなりほぐれます。

ただし、**モデレーターが内部の人、特に「設計や製作や販売に直接かかわる人」の場合は、この対策を使うのはむずかしいです**。どんなにけちょんけちょんに言われても傷つかないと宣言しておきながら、ほめられれば顔がほころび、けなされれば眉間にシワがよるといった具合に気持ちが顔に出てしまいますから。

つくるところに関与した人は強力な確証バイアスに負けてしまう危険も高いので、この人たちがモデレーターを担うのはそもそも望ましいことではありませんが、事情があってそれを避けられないなら、これ以外の対策でなんとかします。

④笑わせる！

ユーザーの顔に笑顔が浮かんだら「ラポールができた！」と思ってほぼほぼ大丈夫です。緊張した面持ちで椅子に腰かけたユーザーを、なるべく早く笑わせてあげてください。

話の流れで、笑えるジョークや小話をさっとはさめるのが理想ですが、失敗してユーザーにドン引きされた場合は「あれ？　おもしろくなかったですか？」「いま笑うところだったんですけど……」「さっきはうけたのにおかしいな……」といった感じでフォローすれば笑顔を引き出せます。

⑤「後ろめたい気持ち」の可能性を考える

どんな前置きも、どんな笑い話も通じない……。そんなときは、もしかしたらユーザーのほうに後ろめたい気持ちがあるのかもしれません。

アンケートに回答するときについていてしまった嘘や、それとつじつまを合わせるために取ってしまった行動などが原因として考えられます。

たとえば、99ページのスクリーナーに「Q10．最近自分で購入した本を教えてください」とあります。この回答には次のような嘘や見栄が紛れ込む可能性があります。

- 実は古本屋で買ったけれど、駅の本屋で買ったことにしておこう

●買ったのはかれこれ半年以上前だけど、最近ということにしておこう
●奥さんが買ってきた本だけど、自分で買ったことにしておこう

ユーザーが調査に参加したくて意図的かつ慎重についた嘘に、アンケートの回答を見て気づくのはむずかしいです。

しかし、**嘘をついたという後ろめたい気持ちは、嘘を隠し通そうとする次の嘘につながり、それらが積み重なって不自然な態度や行動となって現れます**。目を合わせようとしなかったり、質問に対してやたらと端的に答えて早々に切り上げようとしたり。

ついた嘘にしばられてしまうよりも、それはそれとして、調査当日のこれからの質問に正直に答えるよう態度を改めてもらえるほうが調査者としてはずっとありがたいです。

「後ろめたい気持ち」がありそうだと思ったときには、「アンケートでなにかまちがえて回答しちゃったみたいなのってありますか?」と聞いてみてください。「嘘」を「まちがい」として回収し、それが大きな問題ではないことを（たとえ大きな問題だったとしても）さりげなく伝えます。「なるほどー、じゃ、こちらのデータを修正しておきますね」みたいな軽い感じで受けとめて、ユーザーの喉の奥に引っかかっていた小骨を取ってあげれば、そのあとの反応はちがってきます。

31

ラポール形成　その2

席に着くなり文句を放つお怒りユーザー

ただでさえラポールをつくるのは大変なのに、ユーザーが見るからに不機嫌だったり、あるいは泣きそうだったりしていきなりピンチ！　ということがあります。

「送られてきた地図がわかりにくくて迷っちゃって、余分に何分歩いたと思ってんのよ。おかげで汗だくよ！」

遅れてきたユーザーからいただいたお言葉です。こんな風に、**ユーザーが感情的になっている場合は**、次のような作戦でラポール形成に挑みます。

①ユーザーと同じテンションで聞く

怒りの矛先が調査に関連するなにかに向いているときは、まず平謝り。**言いたいことを言いたいだけ、言い尽くしてもらうつもりで発話を促し、モデレーターは聞き役に徹します。**焦っちゃいけません。感情が高ぶった状態のままインタビューをはじめれば、感情的な意見が多くなります。まず気持ちを鎮めてもらいましょう。

怒りの感情の裏には「認知的不協和」があることが多いです。認めたくない事実があって、そこから目を背けたいときに、人は自分に都合のよい言い訳をつくり出す認知の癖を持っています。イソップ物語の『すっぱい葡萄』に登場するキツネは、美味しそうな葡萄の実を手にすることができなかったことを認めたくないあまり、「どうせすっぱくてマズイ葡萄なんだから食べられなくてむしろよかった」と言い訳をして自分をごまかしました。同じように、遅刻したという事実を認めたくない、あるいは遅刻をするようなだらしない人間だと思われたくないと心の奥底で思ったユーザーは、出来の悪い地図に責任を押し付けて認知的不協和から逃げようとした可能性があります。

そんなときに理詰めは通用しませんし、時間の無駄です。悪いのは地図を読みまちがえたユーザーではなく地図のほうだと、さらに言うなれば地図をつくった人だと、**責任の所在をよそに向けて逃げ道をわかりやすくしてあげてください**。ユーザーとモデレーターの間にラポールができればよいのです。**そこにはいない誰かに悪者になってもらって共通の敵をつくり、一緒に怒ります**。

悲しげなときには、悲しみをともに受けとめるつもりで静かに対話をはじめましょう。楽しそうだったり、嬉しそうだったりすれば、一緒になって声を出して笑ったり、喜んだりします。そうやってユーザーの喜怒哀楽に寄り添うのがユーザーを平静に戻すためのいちばんの近道です。ラポールをつくるときだけではありません。インタビューの途中でユーザーの感情が大きく振れる瞬間に直面したときの対応も同じです。

② さりげなく飲み物をすすめる

落ち着いてもらうためには深呼吸がかんたんで効果的ですが、感情的になっている人に「深呼吸して落ち着け」という物言いは火に油を注ぐようなものです。

すこしの間、聞き役に徹したあと、「よかったらお水をどうぞ」とさりげなく飲み物をすすめてください。感情にまかせて言いたいことをまくし立てた人は絶対に喉が渇いているので大歓迎とばかりにゴクリと飲んでくれるはずです。それで十中八九は落ち着きを取り戻します。

それでもダメな場合は、忘れ物でもなんでもよいので適当な理由をつけて退室し、ユーザーを束の間ひとりにしてあげてください。感情をぶつける相手がいるからおさまらないのです。ひとりになって、水をもう一口、二口と飲めば、きっと落ち着きます。

32

ラポール形成　その3

「ちゃんと聞いてるの？」と思われたら終わり

一度ラポールをつくればもう安心とはいきません。ほんのちょっとの油断がラポールを崩します。

「その質問にはさっき答えましたけど、もう一度ってことですか？」

眉間にシワを寄せて、いぶかしげにこう言われたことがありました。うっかり同じ質問をしてしまったようです。日に数人のインタビューが2日、3日とつづくと、この質問をこのユーザーにしたかどうかをはっきりと思い出せないくらいに記憶があやふやになるときがあります。

でも、ユーザーからすればそんな事情は知ったこっちゃありません。**一生懸命に答えているのに同じ質問をされたら「ちゃんと聞いてるの？」と不信に思うのは当然です**。真剣に聞く気がないように見える人に、真剣な受け答えをすることをばかばかしく感じてしまうかもしれません。そうなったらラポールは崩れます。一度悪い印象を持ってしまうとそれをなかなか打ち消せないという「ネガティビティ・バイアス」を人は持っていますから、壊れてしまったラポールをつくり直すのは、はじめてつくるときよりもずっとむずかしくなります。

そんな大変な事態に自分を追い込まないためには、せっかくつくったラポールを壊さないこと。そのための対策を4つ紹介します。

①ラポールができたあとも油断しない

雑な言葉づかいや、なれなれしい話し方など、ユーザーへの敬意を感じさせない態度はラポールができたあともNGです。ただ、常にかっちり敬語で話すべしということでもありません。ユーザーのほうがずっと年下で、敬語で語りかけることが余計な緊張を生むとすれば、すこしくだけた語り口のほうがよいでしょう。認知能力が衰えはじめたお年寄りを相手にするときは、やさしくかみ砕いて話すようにしないとなかなか質問を理解してもらえません。しかしそれが、まるで子どもに語りかけるような雰囲気になれば、あまりよい気がしないでしょう。人生の先輩に対する敬意とお年寄りをいたわる優しさとのちょうどよいバランスが大切です。

ユーザーと接している間は終始、表情や態度をよく観察して、不快な思いをさせていないかどうかを確認しながら進めます。

同じユーザーに二度、三度とくり返し協力してもらう場合は、回を重ねるごとに親しみがわき、すでにラポールはできているという気になって油断しがちです。でも、人の気分は日によっても、時間によってもちがいますよね？　同じように語りかけられても、愉快な気分で楽しく過ごしている日と虫の居所が悪い日とでは、受け止め方がちがいます。二度目、三度目にお会いするユーザーの場合でも、まずはラポールの確認からはじめます。

②同じ質問をくり返さないようメモを取りながら聞く

うっかり同じ質問をくり返さないようにするにはまず、自分の記憶力を過信しないことです。**ユーザーの話は、かならずメモを取りながら聞きましょう**。自分で見てわかる程度のメモで十分です。余裕がなければ、**聞いた質問にチェックをつける**くらいでも役立ちます。

メモを見ても自信を持てないときや、回答をしっかり思い出せないときは、「さっきも聞いたかもしれないですけど、もう一度確認させてください」「きちんと理解できているかどうか自信がないのでもう一度聞かせてください」のように前置きをしてから切り出すのが安心です。

③共感できない話も興味を持って聞く

ときには、突拍子もない意見が出てくることもあります。人道的にどうよ？　という話や、それって違法なのでは……と思うような話を聞かされてどうにも共感できないときがあります。しかしそんなときも、絶対に否定してはなりません。

「人の意見には正解も不正解も、よいも悪いもありません。人それぞれ意見や考え方はちがってあたり前です。ぜひ○○さんの率直で正直なご意見やお考えをたくさん聞かせてください」

こう言ったのはこちらです。モデレーターは、ユーザーの言動を評価する立場にはありません。自分の意見を否定されたと感じたユーザーの口は確実に重たくなります。そう感じさせないためには、**たとえ共感できなくても、興味を持って聞く**ことが第一です。共感できない考え方や価値観の人から話を聞くのは、プライベートではそうあることではありません。この調査のおかげで、自分の日常では考えられない出会いを体験していると思えば、興味がわいてくるはずです。自分の発想の間口を広げてくれるかもしれない貴重な出会いだと思って前のめりで話を聞きましょう。

④ 嘘はつきとおす。できないなら嘘をつかない

嘘はよくないです。ユーザーには嘘やごまかし、取りつくろいのない正直な意見を聞かせてくださいとお願いしているのに、モデレーターのほうが嘘をつくのは好ましくありません。

でも、言えないこともあります。 調査の裏にいる企業の名前、調査の真のねらいや隠れた意図など、ユーザーも気になるはずですが、聞かれても素直に答えられないのがモデレーターのつらいところです。それらを知ることによって、ユーザーの反応や意見が曲がったり歪んだりするの

を阻止しなければならないからです。聞かれても、「知らない」「聞いていない」「わからない」と白を切りとおします。

そうしてついた嘘は、ぜったいにつきとおします。嘘がバレたらラポール崩壊です。嘘をつきとおす自信がなければ、嘘をつかず、正直に「知っているけど言えない」と伝えましょう。嘘がバレるよりはマシです。

33

ラポール形成　その4

グルインでユーザー同士が一触即発！

ユーザーインタビューや行動観察のむずかしさがわかってくると、グルインなら楽勝と思いがちです。

サッカーワールドカップの試合を開催地まで毎回見に行くという熱狂的なファンを集めてグルインをしたことがありました。グルインを計画するときの対策のひとつとしてユーザーの「的」をしっかり絞るべきだと『7「的」がぶれぶれの悲惨なグループインタビューになる』に書きましたが、そこに手抜かりがあったおかげで、とあるグループに次の開催地ドバイに駐在経験があるという男性が混ざってしまっていました。それはもう意気揚々ととめどなく話をされて、他の参加者は引き気味になり、中には嫌悪感を丸出しにして睨みつける人も出てくる始末です。ケンカになってしまうのではないかとドキドキしました。

ユーザーと1対1であれば、自分とユーザーとの間にラポールができれば済みますが、グルインでは、**ユーザーひとりひとりとのラポールに加えて、グループ全体のラポールもつくり、維持**

しなければなりません。それがグルインのもっともむずかしいところで、しっかりとした対策が必要です。

①他人に合わせたり、ちがう意見を探したりする必要はないことを伝える

ユーザーが感じる緊張も、1対1の場合とグループに混じる場合とではちがってきます。自分の発言がその場に居合わせた人びとの発言と比較されるうえ、モデレーターだけでなく、他の参加者にも評価されることになると感じるからです。ドバイを知り尽くした彼の話のあとで、まだ行ったことのない自分が口を出しても仕方がない……と考えて口を閉ざす人が出てきてもなんら不思議はありません。他の人の意見にただ同調するだけでごまかそうとする人や、逆に対抗意識から反対意見ばかりを探そうとする人も出てくる。それがグルインです。

そうした影響を見越して、冒頭で伝える注意を次のようにアレンジするのがひとつ目の対策です。

「人の意見には正解も不正解も、よいも悪いもありません。人それぞれ意見や考え方はちがってあたり前です。**誰かが言った意見に合わせる必要はありません。逆に無理してちがう意見を言おうとする必要もありません。みなさんの意見をひとつにまとめる必要も、多数決で勝敗を決める必要もありません。**みなさんそれぞれの率直で正直なご意見やお考えを聞かせてください」

それでも、他者の存在や意見に影響を受けてしまう可能性はなくなりません。しかし、人間が社会的動物である以上、それはむしろ自然なことです。大切なのは、「最初はこう思っていたけど、○○さんの意見を聞いてこう思うようになった」と正直に語れるように、グループ全体のラポールをしっかりつくることです。

ただし人間には、みんながよい！　と言っているものを無思考でよいと思ってしまう認知バイアス（「バンドワゴン効果」と言います）があります。多数派の意見に引っ張られる人が出てくる可能性を忘れずに、**折を見てくり返し「話を合わせる必要はない」「多数決を取るつもりはない」ことを伝えてください。**

②冒頭で、ユーザー各自の発言スタイルを探る

グルインで目指すのは井戸端会議です。ちがう機会に出会っていれば友人になり得たかもしれない似た価値観を持つ参加者たちが好き勝手に意見を言い合い、同調したり、反発したりし合いながら個々人の意見を昇華させ、それをまた共有する。そんな「グループダイナミクス」が働く場をつくることをモデレーターは目指します。

むずかしいです。人の話に割って入って自己主張をするとか、年少者が年長者を差し置いて真っ先に発言するとかいうことが起こりにくく、指名されるのを待ってから発言したり、いつの間にかきっちり順番に発言したりすることが暗黙の了解になりがちです。

そんな展開を封じるには、**冒頭の10～15分が勝負**です。モデレーターの左隣に座っている人から順番に自己紹介をしてもらったあと、最初の質問への回答は右隣の人からの逆回りで聞きます。この2順の間に、参加者各自の発言の癖を探ります。回答を順序立てて簡潔に答えるタイプ、順序を気にせず思い浮かんだことから話すタイプ、話を短くまとめられずにとっ散らかるタイプなど、**いろいろな人がいますがざっくり傾向をつかんでください**。

そして徐々に、右から（あるいは左から）順番に意見を聞くのをやめ、飛び飛びで指名するようにします。これを何度かやっている間に、参加者の発言スタイルをさらに探ります。われ先に話したいタイプ、他の人の意見を聞いてから慎重に言葉を選んで語るタイプ、できれば発言せずに済ませようとするタイプなどを見定めて、**最初に発言を促すのに適した人を何人かピックアップします**。ドバイを知り尽くした彼のような「われ先にタイプ」はぐいぐいくるので、なるべく後半で発言を促すようにします。問いを発するときにはあまり目を合わせないようにするなどの小技も使いましょう。それでもぐいぐいくる場合は、「○○さんにはみんなの意見を聞いたうえでの意見を聞きたいので最後にうかがいます」と締めの大事なポジションを任せる風に言って、待ってもらうという最後の手段を使います。

③ 遅刻者がいたときも約束の時間に終える宣言をする

ユーザーの遅刻はいつだって困りものですが、マンツーマンであれば来てくれるのを待てばよい。単純な話です。しかし、**グルインの場合はそうはいきません**。時間どおりに来てくれた他のユーザーの存在があるからです。選択肢は自ずと次の3つに絞られます。

A．時間どおりにはじめて、遅刻者には辞退してもらう
B．時間どおりにはじめて、遅刻者には途中から入ってもらう
C．遅刻者の到着を待ってからはじめる

Aは、1人減るだけなので、いちばん楽なパターンですが、人数が減ることに渋い顔をする依頼主がいる場合は取りにくい選択肢です。

遅刻者の遅れが5分か10分程度ならば、Cが妥当ですが、むずかしいのは「5分で着きます」と言ったユーザーが15分待っても、20分すぎても現れない場合です。胃がきりきりします。とりあえず、待ってもらっている他のユーザーにはお茶とお菓子を出しましょう。

Bのむずかしさは、話を中断して遅刻者のためにすこし時間を割かなければならないところです。ここで結局ロスするなら、全員そろってからはじめるCの時間効率がいちばんなのですが、先に書いたとおり、遅れがどのくらいかによります。

いずれにしても、もっとも肝心なのは**グループ全体のラポール**です。待たされた他のユーザーが不愉快にならないように、遅れてきたユーザーが必要以上に遠慮して発言を控えることにならな

ないように気を配らなければなりません。そのためには、**「この人の遅刻のせいで、終わりも遅れるんじゃないの？」と待たされたユーザーが思わないようにしてあげることが大切**です。全員そろったところで、スタートの遅れには関係なく、予定どおりの時間にかならず終えることを約束してください。また、遅れた本人は他の人に迷惑がかかることをいちばんに気にします。気にする必要はないと言ってあげてください。そしてモデレーターは、きっちり約束の時間に終えられるよう進めて、かならず終えるようにします。

34 インタビュー　その1
脇道にそれまくるユーザーを本筋に戻すには

話しだしたら止まらない人がいます。話している間にあっちこっちに脱線してしまう人もいます。なかなか次の質問を繰り出せなくて困るとか、脇道から本筋に話を戻すのに苦労するとか、ユーザー調査をするようになると遠からずぶつかる壁です。

それた話題をそのままにすれば、調査の目的を達成できずに終わってしまう危険性が高まります。うまく舵取りをして、約束の時間内に目的を果たさなければなりません。しかし同時に、ラポールを崩さないようにもしなければならないのがむずかしいところです。

写真撮影に関する調査を実施したときのことです。自分で撮った写真のプリントアウト2～3枚を持ってきてもらうことになっていました。それをきっかけに、写真を撮るときの様子や気持ちを思い出して語ってもらうことをねらっていたのですが、自己紹介からの流れで写真を見せてもらったら、選りすぐりの写真だけあって思い入れも強く、切り上げるのに苦労する展開になってしまいました。

ユーザーが気持ちよく語っているのを下手にさえぎると、ラポールを壊してしまうかもしれません。話を途中でさえぎられた経験があとを引いて、「どうせこれも要らない話だろうな……」とユーザーが考えるようになり、口が重たくなってしまったら調査は失敗です。そうならないようにしつつ、ユーザーの話に割って入るときの秘策が3つあります。

①「話が変わる」宣言をしてから切り出す

ユーザーが好き勝手に話しているように見えたとしても、内心では聞かれたことに一生懸命答えようとしているだけだったりします。ただ、ちょっと話が長いだけ。ぜんぜん話してくれない人よりもありがたいことではあるのですが、だからと言って放置していては、調査の目的を果たす方向へ舵を切れません。

強引にでも話題を切り替えたいときは、勇気を出して強引にいきます。ただし、**かならず話を変えるという前置きをしてください**。たとえば、こんな感じです。

「お持ちいただいた写真ぜんぶのお話をうかがう時間はなさそうなので、このへんですこし話を変えたいのですが……」

「今から話を変えます」という宣言をせずに強引に舵を切った場合、ユーザーの頭の中には前の質問や話題が残った状態になります。話がつながっていると思い込んだまま次の問いを受け取ると、それまでの話題と絡めて答えるべきだと考えてしまうかもしれません。そうすると、いつまでたっても持ってきてもらった写真の話から離れてもらえず作戦は失敗に終わります。

②調査のテーマを思い出させる

読書に関するインタビューで、ユーザーの自己紹介がなかなか終わらず、趣味の話にも本や読書の話題が出てきませんでした。そろそろ切り上げて読書の話に行きたい……と思ったところで、**たとえば次のように「本屋」という言葉をこちらの台詞の中に入れてみます。**

「さっきお勤め先は品川駅からすぐっておっしゃってましたよね？　品川駅のエキュートにある本屋、わたしのお気に入りなんですよー」

これに対して、自分も好きだとか、使ったことがあるといった反応が返ってきたら、そのままそこでどんな本を買ったのか、本屋にはよく行くのか、いちばんよく使うのはどこかなど、用意した質問の中ですんなり繋がりそうなものへ流していきます。

逆に、そんな本屋は知らないという反応だった場合は、駅の本屋は使わないのか、よく利用する本屋はどこか、と話の流れを本や本屋のほうへ向かわせます。

勤め先が住所から遠いようであれば、「通勤時間、けっこう長いですよね？　移動中はなにをされてますか？」「本を読むことはありますか？」と、読書の話題へふってみる。小さなお子さんがいるという話からは「お子さんはもう本を読まれますか？　それともまだ読み聞かせかな？」と家族の読書習慣に注意を向ける。そうして「読書に関するインタビュー」に来たんだということを思い出してもらいます。

③質問をくり返す

話が脱線する展開には2つのパターンがあります。

- 質問の意味をきちんと理解しないまま、聞き返すことができずに話しはじめてしまい、途中でわけがわからなくなる展開
- 質問の意味を理解し、話しはじめはしたものの、気持ちよく話しているうちにとっ散らかって「なんの話だっけコレ？」となる展開

いずれにしても、**「質問、なんでしたっけ？」とはなかなか聞けないのが人間です**。質問を理解できなかった、話しているうちに質問を忘れちゃった、そんなこと恥ずかしくてなかなか認められません。そして多くの人は、「話しているうちに思い出せるんじゃないかな……」と根拠の

ない期待をしがちです。だから、自分でもよくわからなくなっているのにしゃべりつづける。そこで、

「質問、覚えてます？」

みたいに口をはさめば、ラポールが心配です。たとえば、聞いた自分も忘れてしまっている風を装って、次のように言ってみてください。

「あれ？　わたし、なんて質問しましたっけ？」

ガイドで質問を確認し、もう一度ユーザーに質問をぶつけます。**そして一緒に、ユーザーの話の論点を確認してください。**横道にそれているわけではなくただ話が長かったという場合は、「つまりこういうことですか？」と聞いた話を要約して確認を取り、次へ行きます。たしかに話がそれていたという場合には、そこで軌道修正します。「話がそれちゃってましたねー笑。すみません、わたしも気づかなくて。じゃ、話を戻しましょうか……」とモデレーターのほうの力不足でしたという雰囲気にすれば、ラポールを壊すことなく先へ進めます。

35 インタビュー その2 うっかり誘導しちゃわないために

こちらの都合のよいようにユーザーの発言をコントロールすることを**「誘導する」**と言います。そして、誘導された発言はユーザーの本心とはみなせなくなります。つまり、**データとして使い物になりません**。誘導を連発して使えないデータばかりを集めるようなユーザー調査に価値は認められないでしょう。

とあるアプリの新旧デザインをユーザーに見せ、比較して意見を聞こうとしたときのことです。観察に来ていたデザイナーから、次のようなリクエストがありました。

「旧バージョンのどういうところに古さを感じるかを聞いてください」

このままユーザーに「どういうところに古さを感じますか？」と聞けば、ほぼ誘導です。何度か出てきましたが、大事なのでくり返します。自分の持っている仮説が正しいことを確認しようとするとき、人はその仮説を後押ししてくれる情報を探そうとする傾向を持っています。「確証バイアス」です。リクエストをしてきたデザイナーは「古いデザインを刷新した新バージョンのほうがユーザーに好まれる」という仮説を持っていて、それを立証するために、旧バージョンのどういうところに古さを感じるかを具体的に聞き出し、「ほらね。やっぱりユーザーは旧バージョンを古くさいと思っているんですよ、刷新して正解でしたね」と言えるようにしたいと無意識に考えました。

確証バイアスにとらわれた場合にかぎらず、質問するときの言葉選びをちょっとまちがえるだけで誘導事件はかんたんに起きてしまいます。これを避け、使えるデータを集めるための対策は次の3つです。

①つくった本人にモデレーターはさせない

ユーザーが旧バージョンにいくら古さを感じたとしても、それは新バージョンに新しさを認めたことにはなりません。どちらの、どういうところに古さを感じるのかを、新旧わけ隔てなくオープンに聞き、「新バージョンに古さを感じさせるところはないか」や「逆に旧バージョンに新しさを感じさせる面はないか」といった反証にこそ目を向けなければ、仮説の検証は終わりません。

自分がつくったものは愛おしいにちがいありません。だからこそ余計に**デザイナーの確証バイアスは強くなりがち**です。それを自覚して、問いを発する自信がなければ、つくった本人がモデレーターを担うべきではありません。ユーザー調査を外部に依頼する企業が多い所以はここにあります。

②かぎられた範囲に絞った聞き方は避ける

見た目が古いとか新しいといった見方をそもそもしていなかったユーザーが、「旧バージョンのどういうところに古さを感じますか？」と聞かれれば、多くのユーザーは一生懸命に画面を見て、「古いと言えば、このあたりの色づかいかな……」「全般的にごちゃごちゃしているところですかね……」「ここのアイコンとか、ひと昔前の感じがあるかな……」と、がんばって期待にこたえようとしてくれます。本当は新バージョンのほうにこそ古めかしい印象を持っていたとしても、ユーザーはそれを言ってくれません。なぜなら、**旧バージョンに限定して、意見を求められているから**です。

見てほしくない部分はなるべく見せないようにして、見てほしい部分に注意を絞るようにすれば、誘導はかんたんにできてしまいます。誘導したくないなら、かぎられた範囲に焦点を絞って聞くのは避けなければなりません。

③「こう答えてほしい」があるときは用心に用心を重ねる

しかし、焦点を絞ることを完全に阻止することはできません。かぎられた時間の中で調査の目的を達成するためには、調査の対象やテーマにユーザーの意識を向けてもらう必要があります。これを絶対悪としては、ユーザー調査は成り立ちません。

また、ユーザーの真意をしっかり理解できたかどうかを確認しておきたいと思うこともあります。そんなときには「こういう理解で合ってますか？」とクローズドクエスチョンを使わざるを得ません。いつまでも広く、オープンに聞くことしかできなければ、時間がいくらあっても足りません。

ユーザーの発言をコントロールし、そのデータを都合よく使おうとする意図が裏にあるかどうかが誘導かどうかの判断基準です。

準備の段階であれば、腹を割って話し合い、誘導して得たデータは価値がないこと、どうしても聞きたいなら聞き方に細心の注意が必要になることを理解してもらい、モデレーターが当日慎重に構えられるよう、問いの下に小さく「※誘導注意」とでも書いておけば予防になります。

しかし中にはズルイ人がいて、セッションの終わりになって、誘導してでもユーザーの言質を取りたいとばかりに追加質問をリクエストしてくる場合があります。それをむげに断れば関係にヒビが入りますし、ユーザーに待ってもらっている状況で議論をする時間もありません。

まず、「旧バージョンのどういうところに古さを感じるかを聞いてください」とデザイナーに頼まれたら、「このデザイナーは〝旧バージョンは古くさい〟とユーザーに言わせたいのだな

「……」**とその真意を読みとれるようになることが第一歩**です。

そして、問いをその場でアレンジします。たとえば、次のように聞ければ、誘導を避けられそうです。

「見た目に古さや新しさを感じるところがあれば教えてください」

しかし、まだ足りません。問いを発しながら、旧バージョンのほうにチラリと視線を向けたり、指が一瞬でも旧バージョンのほうを指したりしてしまったとしたら、ユーザーは無意識にそれを読み取り、旧バージョンのほうに注意を向けてしまう可能性があります。こうした些細な所作まで用心するのはとてもむずかしいです。打てる手立ては、くり返しになりますが範囲を絞らないことです。次のように**両方についてオープンに問う**ことができれば、些細な所作の影響を最小限に抑えられます。

「どちらのバージョンでも構いません。見た目に古さや新しさを感じるところがあれば教えてください」

追加質問にかぎらず、**ユーザーに向けて問いを発するときには「同意してほしい」とか、「こ**

う答えてほしい」という思いが自分の中にないかどうかを確認する習慣をつけてください。そういう思いがあるときには、誘導気味な問い方になってしまったり、ふとした所作が無意識に出てしまったりする危険があります。これを自覚できていれば、ユーザーの答えを聞いたあとにでもぎりぎりフォローするチャンスが残ります。

ユーザーがあっさり同意してくれたとか、期待どおりの答えを返してきたというときには、立ち止まって次のように確認をはさみます。

「同意してほしそうに聞こえちゃいました？」

ユーザーの発言を疑っているかのような雰囲気にならないよう気をつけながら「ぶっちゃけどうですか？」ともう一度確認し、「本心ですよ」と言ってもらったり、「実を言うと……」とちがう意見を聞かせてもらったりできれば、誘導の結果ではないと自信を持てるようになります。

36 インタビュー　その3
「理由は自分で考えろ！」と言われてドン引き

表面的な質疑応答に終わらせず、事実をありのまま、かつ網羅的に捉えることやユーザーの深層心理に切り込んでいくことを目指して問いを重ねていくことを **「深掘り」** と言います。

掘りが甘いと、事実として言い切れることが少なくなり、分析に使えるデータが足りなくなってしまいます。それでも強引にデータを分析しようとして、多くの推測を交えてしまえば、ユーザー調査にもとづく結論だと胸を張って言うことができなくなりますし、それを受け取って次のアクションを起こす人たちからの信用も失うことになるでしょう。ユーザー調査そのものへの信頼もゆらぎかねませんから、**しつこいくらいに深掘りするのはユーザー調査の真髄です。**

人の行動や気持ちの裏にある理由を聞くことが、深掘りのひとつの糸口になります。しかし、「なぜ？」を聞くことはそうかんたんではありません。

洗濯回りのお悩みを聞き、解決策を探る調査をしたときのことです。「なぜ？」や「どうして？」をさんざん連発したあと、衣類の肩にハンガーの跡が残るのが嫌だと言う主婦にまたしても「どうして?」と聞いたら、怒鳴られました。

「肩にハンガーの跡がついてたら嫌でしょ? あなたは嫌じゃないの? 嫌でしょ? だったら理由は聞かなくてもわかるじゃない! そのくらい自分で考えてよ!」

ご自身の言葉で語ってもらうことが調査にはとても大事なのだと説明してなんとか切り抜けましたが、ラポールは崩壊寸前でした。ラポールを維持しつつ、上手に理由を聞き出すための策が深掘りには不可欠です。

① 即答を迫らない

日常生活のちょっとした行動やふるまいの裏にある理由や気持ちを聞かれて、すんなり答えられることは稀です。そんな細かいことは意識せずに生活しているからです。

そして、そうした日ごろ意識していないことを、思い出すのは面倒だし、大変です。しかも、それを他人にわかるように語ることが求められるわけですから、ユーザーだって大変です。**子どものように無邪気に「どうして?」を連発すれば、キレた母親のごとく「どうしても!」と対話を打ち切られても不思議はありません。**実際、理由は「わからない」として、話を終わらせようとするユーザーは多いです。

「わからない」と言われて、「はい、そうですか」と引き下がるわけにはいきませんが、「わからないってことはないでしょう」とユーザーを責めるような物言いをすればラポールが壊れます。

たとえば、**「どうしてだと思います?」「どうしてか考えてみたことありますか?」のように聞いてみてください**。これだけで、即答する必要はなく、今からじっくり考えてもよいという意図が伝わります。するとユーザーは、「どうしてだろう?」「考えてみたことなかったけど、どうしてなんですかね?」と、それまで意識したことがなかった理由を「ちょっと考えてみよう」と前向きになります。日ごろ意識していないことを考えるきっかけをもらったことをむしろ喜び、楽しんでくれる人すら現れます。

単調に「なぜ?」や「どうして?」をくり返せば、即答を迫る雰囲気が強くなりますし、すぐに答えが出てこなければ不安になり、逃げたくなります。「わからない」でごまかすという残念な展開を避けるには、**「一緒に理由を考えてみましょう」という歩み寄り**が大切です。

② 理由をひとつに絞らせない

理由を聞かれたユーザーは、たくさんあるかもしれない理由の中から真っ先に思いついたものを語ります。

あるいは、すこし考えて「正解」を言おうとするユーザーが出てくるかもしれません。このときにユーザーが考える正解はいろいろです。モデレーターが言ってほしそうなことを推測して言いあてようとする人、多数派の意見としてそれらしいものを言う人、逆に尖ったことを言って自分のユニークさをアピールしようとする人など、多くの人はこれを無意識にやっています。ユーザーの思考が正解探しに偏らないように、意見や気持ちに正解はないということをくり返し伝えることが大切ですが、もうひとつの対策は**答えをひとつ聞いて終わりにしないこと**です。

しかし、「他の理由もありますか？」と直球を放てばユーザーの中に不信感が芽生えます。「信じてくれないの？」「満足のいく答えをできなかったのかも……」「不正解だったか……」と感じたユーザーはその後、口を開くことに慎重になってしまうかもしれません。下手をすればラポールも崩れます。これを避けるにはやっぱり聞き方です。

「毎回同じ理由ですか？」「日や場所がちがえば、理由もちがってきますか？」「1人でいるときと、誰かが一緒のときではどうでしょう？」といった感じで、ちがう文脈や環境を想像して、理由に変化が生まれるかどうかを探ってもらいます。

③理由ではなく「きっかけ」を聞く

行動や感情の裏にある「理由」は、その人の価値観や判断基準を明るみにしますから、他人の目や自分に対する評価を気にする人にとっては落ち着かない話にもなり得ます。

そんなときは、「きっかけ」を聞く作戦に切り替えます。「どうしてそう思うのですか？」ではなく**「そう思うようになったきっかけを教えてください」**、「なぜそのように行動するのですか？」

ではなく「そう行動するようになったきっかけはありましたか？」と聞きます。すると、感情的な判断ではなく、環境や文脈、そのときの感情をひっくるめたシーンを思い出し、語ることが望まれているように聞こえるため抵抗が薄れます。

ただし感情については、情景として思い浮かべる絵の中に入ってこないので、聞かなければ出てこないかもしれません。タイミングを見て、「そのときどう思いましたか？」「どんな気分でしたか？」と、さりげなく問いをはさむ工夫が必要になります。

また、理由と同じできっかけもひとつとはかぎりません。「それ以来、その行動はまったく変わらずですか？」「今のお話に他の人がまったく出てこなかったのですが、他人の存在が行動を変えるきっかけになることはありましたか？」と、同じシーンをちがう角度から思い返すように促してみましょう。

37

インタビュー　その4

どこまで掘ればよいのかわからない……

「○○についての話が出たら、徹底的に深掘りしてください」

と言われたので、用意したその他の質問そっちのけで時間の大半をその話題に費やしたら、

「徹底的にとは言ったけれど、それだけで終わるとは思わなかった……」

とか言われて、慣れないうちは深掘りのさじ加減がわからず試行錯誤をくり返しました。

「もうすこし掘ってみてもらえませんか？」「もっとつっこんで聞いてください」などと言われることも多いですが、そういうときは、**言っている本人も具体的に期待しているものはなくて、「もうすこしでなにかが見えそう……」くらいのぼんやりした希望を手がかりにしている**にすぎない場合がほとんどです。つまり**深掘りのゴールは、ありそうでありません**。でも、どこまで掘ったら十分とするのか、目標みたいなものがないと困ります。苦労の末にたどり着いたわたしの

アプローチと判断基準は次のとおりです。

①回答を得たと思ったところからもう一歩はかならず踏み込む

理由を聞かれたユーザーは、選りすぐりの正解をたったひとつ答えようとすると前節に書きましたが、それは理由の話にかぎりません。どんな質問の場合でも、ひとつの回答を提供すれば、ひと仕事を終えたものだとユーザーは考えがちです。その雰囲気に飲まれて、**モデレーターもあっさり次の話題へ切り替えない**こと。

質問に対する答えを聞いて「なるほど」と思ったところから、もう一歩踏み込む習慣をつけるのがひとつ目の対策です。

②一直線ではなく、全方位的に掘る

「深掘り」という言葉から、奥へ奥へと一直線に掘り進めるイメージを持ちがちですが、それこそ、ひとつの答えを目指す一問一答っぽくて適切ではありません。もっと自由に、縦横無尽に掘り散らかすイメージに切り替えてください。

状況をもれなく理解するには、次の3つを徹底的に、全方位的に探らなければなりません。

- ユーザーが取る行動

- そのときの環境や文脈
- そのときのユーザーの心の内

どれかが欠けたデータは、欠けた部分を推測で補わなければならなくなるためデータとして信憑性が下がります。

たとえばユーザーが「カフェではかならずWi-Fiにつなぐ」と言ったとします。すかさず「どうしてですか?」と理由を聞けば、「Wi-Fiにつなげば容量を気にする必要がなくなって落ち着くので」と答えが返ってきました。行動（Wi-Fiにつなぐ）とそのときの環境や文脈（カフェではかならず）、そしてユーザーの心の内（容量を気にしなければならないと落ち着かないから）のセットを聞き出したので最低限はクリアです。

ここからさらにもう一歩踏み込んで、全方位的に探るにはどんな問いが考えられるでしょう?「カフェでWi-Fiにつなごうとしてうまくいかなかったことはありますか?」と聞いてみれば、「あー、そういえば情報を取りにくるところありますよね? 年齢とかメールアドレスとかを入れないとつなげないみたいなところ。そういうのに出くわして面倒になってカフェを変えたことありますす」という話を聞かせてくれるかもしれません。カフェという似たような環境でもゴールまでの過程に面倒を感じさせる手続きが割り込んでくれば、環境を変えるという選択肢をユーザーに取らせることになるのがわかります。

「容量の問題がなくなればすっかり落ち着くのですか？」と聞けば、「もちろんバッテリーもです。コンセントの近くの席が空いてなかったりしたら、そこが見える席を陣取って、空いたら速攻移動します」みたいにまったく落ち着いていない様子を語ってくれるかもしれません。「でも、さっきモバイルバッテリーを持ち歩いているっておっしゃってませんでしたっけ？」とつっこめば、「それは外を歩いているときとか、電車の中でどうしてもってときようになるべくキープしておきたいので、カフェでは電源とりたいです」とちがう環境での過ごし方に話がおよんでいきます。

こうして、**無限にすらなり得る行動と環境と気持ちの組み合わせを、時間の許すかぎり聞き出すのが深掘り**です。

話の流れに合わせて、用意した質問の中で関連しそうなもの（もちろんその場で新たにひらめいた質問でも大丈夫）を放っていきます。ガイドに並んでいる質問の順番は気にしません。コラム『問いの流れは「仮決め」でOK』（↓156ページ）に書いたとおり、それはしょせん仮決めですから。あてどなく掘っていたように見えても、終わってみれば用意した質問はだいたいカバーして、もう掘れるところは見当たらないくらいにあたり一面を掘り起こし尽くしました！という状態を目指して、掘って掘って掘りまくります。

③ユーザーに共感し、ユーザーの頭で考える

このテーマやセクションについては十分に掘ったと判断し、話題を大きく転換する場面が何度か必要になるはずです。それが判断できないと時間ばかりを浪費して、先のわたしのように依頼主に怒られることになります。

この判断をできるようになるには、ユーザーへの共感が不可欠です。

介護に関する調査を例に「共感」とはどういう状態かを考えてみましょう。

「終わりが見えないのがなによりもつらい」とか、「兄弟の理解を得られなくて悲しかった」と、目にうっすら涙を浮かべながら介護の苦労を話すユーザーの思いは主観的なものです。

これを聞きながら、「思い出すだけで涙が出るほどなんだからよっぽどつらいのだろうな……」と客観的に感じ、わかった気になるところで終わるのでは共感の域に達していません。

ユーザーと同じ立場や境遇に立つ自分を想像し、ユーザーの語りをあたかも自分の体験のごとく主観的に感じるところまでいってやっと「共感」です。そこまでいけば、「悲しい……」と言いつつ、兄弟に対する別の感情もあるだろうからそこをもうすこし掘ろうと考えられたり、「つらすぎる……」からこのままの流れで周辺を掘るのはちょっとしんどいと判断し、一度話題を変えたりできるようになります。

ユーザーに共感し、ユーザーの頭の中に自分を置いて、ユーザーの思考や気持ちを自分ごとと

して想像できるようになれば、流れでどんなことを語ってもらえそうかを無意識に判断できる境地に達します。

Column

ユーザーから「インサイト」は出てこない

ユーザーに聞けば、その口から「インサイト」が出てくるものだと誤解している人がたくさんいます。インサイトの意味は「洞察」や「物事の本質を見抜く力」ですが、マーケティングやユーザー調査の文脈では「ユーザーが持つ潜在的なニーズ」という意味で使われます。ユーザー本人も気づいていない深層心理なわけですから、ユーザーの口から直接出てきた時点で潜在的なものではなくなり、インサイトではなくなります。

インサイトは、深い共感の末に自分でつかみ取るものであって、ユーザーから聞かせてもらうものではありません。共感力が足りなければ、何時間ユーザーの話を聞いてもなにも見つからずに終わります。

「上達するには、やはり場数ですか？」

とよく聞かれますが、単に場数を踏むだけではダメです。より深く、より長く共感できるように裏でトレーニングを積みながらでなければ上達は期待できません。

その方法のひとつとして、小説を読むことをおすすめします。主人公になり切って、物語に没入することが他者の視点に立つためのトレーニングになります。著者がていねいに散りばめた伏線を拾いながら物語を追いかければ、状況を俯瞰する訓練にもなります。読み終えて「まんまとだまされた……」「まさかそういう展開とは……」と思ったら、読者である自分を著者がどうやって煙に巻いたのか、人間のどんな認知特性につけ込まれたのかをふり返ります。小説を読んで、主人公、著者、そして読者の3つの視点をいっぺんに体験することは、共感力のみならず、想像力やメタ認知力（自分の認知活動をより高い視点から認知する能力を言います）の強化にもつながります。

38

インタビュー　その5

ユーザーがあの手この手で正解探し

　自分をよく見せたい、カッコ悪い自分をさらしたくないと考えるのは人間なら誰もが持ち得る感情です。お金をもらう以上は役に立つ意見を言わなければならないという善意も多くのユーザーが持ってくれています。しかしこうした感情が、正解を答えなければならないとか、よい意見を言わなければならないというプレッシャーに変わり、あの手この手で探りを入れる行為につながります。

「次の質問は○◇△□ですよね？」

と、次の質問を言いあてられて驚いたことがありました。どうしてわかったのかと聞いたら、「そこに書いてあるんで……」とのこと。目がいい！　その距離で反対から見てこの文字を読めちゃうなんてスゴイなぁ～と、感心している場合じゃないけど感心してしまいました。**モデレーターがチラ見するガイドのこと、ユーザーはとても気にしています。**「それ、何ページあるんですか？」と聞かれたこともあるし、ちょっと席を離したすきにガッツリ読まれてしまったこともあります。

飾りのない正直な意見こそが望まれているといくら伝えても、めげずに正解を探そうとするユーザーに備える策が必要です。

①ガイドは見せない、読ませない

ガイドをのぞき込んでくるユーザーに「見ないでください」とは言いにくいので、見られないようにするか、見られたとしても読みにくくしておきます。

見られないようにするには、**机に直置きにせず、クリップボードにはさんだうえで、ユーザーからは見えない角度で持つ**ようにします。それならどんなに視力がよくても見えません。事情があって席を外すときには忘れずにガイドを持って出ます。

読みにくくするには**文字サイズを小さく**します。自分なりに無理のないサイズを探ってみてください。

海外からの仕事でガイドの翻訳をする時間が取れず、英語のガイドをそのまま使ってインタビューをしたこともありますが、ユーザーに読まれる心配が減る一方で、ユーザーの注意を引きすぎて失敗でした。「英語だね。すごいね。それ読めるんだ。ん？ってことは海外の会社の調査なんだね」と言われて冷や汗たらたら。あとから依頼主にも怒られましたが、翻訳する時間（とお金）を用意しないそっちも悪いと（やんわり）言ってやりましたとも。

②同意を求められて、うっかりうなずかない

「つくった人は○○という意図なんでしょうかね？」とか、「つまり○○ということなのかな？」とか、「○○と言ってほしいんでしょうね、おそらく」といった感じで、モデレーターにさりげなく同意を求めてくるユーザーがいます。あたりでしょ？　図星でしょ？　そんな含み笑いとともに。

そこでうっかりうなずいたり、相づちを打ったりして、同意したものと思われないように気をつけなければなりません。そのうえで、「どうなんでしょうね？」「どうしてそう思うんですか？」と質問返しをします。

それでもさらに「え、ちがうの？」「そんなことないのかな？」「他に考えられないじゃない？」と、また質問で返されたりしてガマン比べのようになることもありますが、**負けちゃダメです。自分がつくったものではない、デザインには関与していないと、つくり手側の意図やらなにやらは「知らない」をつらぬき通します。**

③ゆっくり考える時間をあげる

「そういうときにはどうしますか？」と聞けば、「そうですねー。あなたならどうします？」と

返し、「そのときはどう思いましたか？」と聞けば、「どう思ったと思います？」と返してくる。そんな質問返しマンがときおり現れます。

質問返しにうっかり答えるわけにはいきません。答えてしまった場合、ユーザーは「僕も同じです」とこちらの意見にただ同意することができてしまいます。これだと、せっかくのオープンクエスチョンがクローズドクエスチョンに変身してしまいます。

オープンクエスチョンは自由回答式の問い、クローズドクエスチョンは選択式の問いです。好きか嫌いか、AかBかCか、選べば済むクローズドクエスチョンはぶつけるのも、答えるのもかんたんです。ついでに集計もかんたんなので、分析も楽になります。**しかし、それならアンケートで済む話。わざわざユーザーに会って話を聞くのは、たくさんのオープンクエスチョンを投げかけてユーザーに自分の言葉で語ってもらいたいからです。**事前に用意できる回答とは別のなにかを、こちらが思いもかけない反応を拾うのがユーザー調査の醍醐味ですから、うっかりクローズドクエスチョンにしてしまわないようにしなければなりません。

ユーザーが質問返しに走るのは、**回答がすぐに見つからず単純に困っている**という状況が考えられます。悪気があるのではなく、単に時間稼ぎをしようとしているときです。

あるいは、モデレーターの口調や様子が、時間を気にしていることを暗に示し、**ユーザーに「早く答えないと……」と思わせてしまっている**可能性もあります。ゆっくり時間を使って考えてよいのだということがわかれば質問返しは収まるかもしれません。話すスピードを落としたり、しっかり間を取ったりして、時間の流れをゆるやかなものに切り替えましょう。「ゆっくり考えて大丈夫ですよ」とはっきり言ってしまうのも手です。

④かんたんに例を出さない

質問の意味や意図がわからず、答えがすんなり出てこないときに、「たとえば？」と質問返しするユーザーも多いです。

たとえを聞いて、「なるほど、そういう意味の質問か……」と理解し、冷静に自分の意見や考えをまとめて語ってくれるならよいのですが、たとえに引きずられて、視野がせまくなってしまった場合はモデレーターによる誘導とも捉えられます。

「たとえば？」と聞かれたときは、即答しないのがまず肝心です。時間稼ぎをしてください。「たとえば……、そうですねー。どんなことが考えられますかねー」と、こっちもわかりませんという雰囲気で一緒に考える風を装います。その間に、ユーザーの頭の中でも思考が進みますから、うまくいけばなにか出てきます。

それでダメなら、例をひとつだけ出します。いっぺんに2つも3つも出さないこと。いっぺんに出してしまうと、問いがクローズドクエスチョンに変身してしまいます。

それでもダメな場合、つまり出した例に賛同するだけで、ユーザーから自分の意見が出てこないという場合は質問がよくないのかもしれませんし、このユーザーから答えを聞くのは無理なのかもしれません。**割り切ってその質問を捨て、別の質問から掘り直します。**

⑤こちらの話は後出しにする

純粋な好奇心から、質問返しをしてくるユーザーもいます。他の人はどうなんだろう？ と思うから聞く、という素直な反応です。調査への協力をとても楽しんでくれていることの証でもあります。

「あなたはどう思いますか？」と返されたら、「わたしの話は置いておきましょう……」という感じでまず切り返します。「そうですよね、僕がどう思うかですもんね。そうだな……」とすんなり先に進んでくれれば成功です。

好奇心が勝ってしまって、自分の意見を言ったあとに「で、あなたの場合はどうですか？」とやっぱり聞いてくる場合もあります。それをかたくなに断りつづけると相手もあまりよい気がしないでしょうから、差しさわりのない範囲でこちらの考えを言ったりもします。

ただし、まだ調査の出だしか半ばかというタイミングでは、後続の問いへの影響が考えられますから、**「わたしの話は最後にしましょう」と言って、先送り**してください。こちらの話もあとで聞かせてあげますよと歩み寄るだけで、しばらくは好奇心をおさえてくれるはずです。

リサーチガイドは黒一色がいちばん

質問がただただ並んでいる見た目に強弱のないリサーチガイドは、とても使いにくいです。ユーザーと対話しながらチラリと目を向けたときに、見たいところ、見るべきところが目に飛び込んでくるくらいになっていてほしいというのが本音。

文字のサイズを変えてみたり、太字や下線を使ってみたり、自分なりに工夫して自分のスタイルを確立していくしかありませんが、色を使うのはやめたほうがよいです。絶対に見落とせないところを赤字にしておくのはかんたんで、やってしまいがちですが、そのためにガイドをカラーで印刷することになります。とても高くつきます。そのくらいケチってんじゃねー！と思うかもしれませんが、ガイドが20ページあって、それを使って30セッションのインタビューをしようとしていて、観察者が入れ替わり立ち替わり20人やってきますとなると、ものすごい枚数になりませんか？

赤字がユーザーの注意を引きすぎる懸念もあります。ユーザーはただでさえガイドの中身を気にしていますから、強く視線を引きつける要素はなくしておくのが賢明です。

色はメモ取り用のペンのほうで使います。黒一色でつくったリサーチガイドに、やっぱり黒いペンでメモを取ると、もともとあったテキストと自分の手書きのメモが一緒くたになって、読み取りにくくなります。自分のメモを拾ってあとから確認の質問をしようと思っていたのにそのメモが見つからない！　みたいなことにならないよう、カラーペンでメモを取るのがおすすめです。

39

インタビュー　その6

クローズドクエスチョンの出番だってある

ユーザー調査では、クローズドクエスチョンを絶対に使ってはいけないものだと思っている人がたまにいます。それこそ誤解です。

残り時間10分を切ったくらいのタイミングで、「おっしゃっていたことを要約すると、つまりAということですか？　それともBということですか？」という質問をしたことに対して、依頼主からお叱りを受けたことがありました。

「ああやってクローズで聞いちゃうと誘導になるのでやめてください」

クローズドクエスチョンが誘導の入り口であることはたしかです。提示する選択肢以外のことを考えさせないのは紛れもない誘導ですから排除しなければなりませんが、**クローズドクエスチョンこそが出番というときには、勇気を出して使ってください。**

①自分の理解にまちがいがないことを確認する

最初からクローズドクエスチョンを出せば、誘導と言われても仕方ありませんが、さんざんオープンクエスチョンで真意を探り、ていねいに深掘りを重ねて言わんとしていることが見えてきました。でもまだはっきりしません。そこで**「確認ですが……」とクローズドクエスチョンを持ち出すのはぜんぜんありです。**特に終盤、もうあまり時間がないし、観察室からの追加質問に応じられるように時間も残さなければならないというタイミングであれば、むしろ望ましいです。

「つまりAということですか？　それともBということでしょうか？」
「今のお話、○◇△□と理解したのですけど、合ってますか？」

自分の理解や解釈に100%の自信を持てないときは、こんなふうに聞いてまちがいがないかどうかを確認します。「あれって、つまりどういうことだったんだろうな？」みたいな疑問を残したままユーザーとの対話を終えるほうが残念です。

②ユーザーの口が重たいときに対話の糸口とする

手をかえ品をかえ、オープンクエスチョンでユーザーの気持ちを聞き出そうとがんばったけれど、どうにもユーザーの口が重く、なにも出てこない。そんなときもクローズドクエスチョンの出番です。
対話の糸口として選択肢を提示します。

「たとえば、Aがなになに、Bがこれこれ、Cがちょめちょめだとすると、どれがそのときの気持ちにいちばん近いですか？」

こう聞かれたユーザーは、選ぶだけならかんたん！　と、選んでくれるはずです。ポイントは**選んでもらって終わりにしないこと**です。

「その中で言うなら、Bですかね……」

と返ってきた答えに対して、「あえて選ぶならB」ということは、それが100%言いあててはいないということの裏返しです。その差分を掘っていきます。Aとはなにがちがうのか、Cがふさわしくないのはどうしてか、AやCに賛同の余地はまったくないのか？　Bよりもふさわしい表現はないのか。そんな問いを重ねながらユーザーの頭の中を一緒に探検します。

インタビュー　その7

40 しゃべってくれないユーザーがいちばん困る

おしゃべりが止まらなかったり、脱線しまくったりするユーザーも大変ですが、それ以上に苦労するのはしゃべってくれないユーザーです。

インタビューをはじめようと思ったら、

「え？　1人ですか？　1人で60分？　うそ……」

と絶句したユーザーがいました。グルインのつもりで来たらしいです。5人とか6人のグループに交じって、適当に相づちを打つだけのつもりで来たのだとしたら、モデレーターとふたりっきりで1時間はたしかに不安でしょう。

ユーザーがしゃべってくれないという状況を生み出す事情と対策を考えます。

①アンケートに「適当な回答」が混じっている候補者は弾く

『30 ユーザーの緊張がぜんぜんほぐれない……』でも触れましたが、アンケートでちょっとした嘘をついたり、適当に回答したりした後ろめたさがある場合は、それがバレることへの恐怖心から口数が少なくなりがちです。調子に乗ってペラペラしゃべると、墓穴を掘るかもしれませんからね。気持ちはわかります。

169ページにユーザーリストがあります。P1のユーザーのデータを見てください。おかしなところはありませんか？　彼が最近購入した本ですが、「電子書籍」を「駅の本屋」で購入したという回答になっています。あまりなさそうな話です。こうした**疑わしい回答のある人はリクルーティングの段階でバッサリ落とす**のがひとつ目の対策です。

悪気があったわけではなく、うっかりまちがえただけという可能性はありますが、それは同時に、深く考えず適当に回答したとも受け取れます。たかがアンケートとあなどらず、正確に回答しようと取り組んでくれた人のほうが、調査当日も前向きに真面目に取り組んでもらえそうだと考えるのが妥当です。

他の条件が理想的で、どうしてもこの人に参加してもらいたいという場合には、**回答ミスがなかったかどうかを確認するために電話をかけます**。そこでの受け答えから、信用できそうだと思えれば採用。不安が残るようであれば、他の候補をあたるのが安心です。

リクルーティングの段階で弾けなかった場合は、緊張をほぐす作戦と同じです。嘘はまちがいとして回収し、ラポールをしっかりつくってさらなる嘘を封じ込めます。

②グルインよりも1人のほうが気楽だと伝える

グルインのつもりで来たユーザーの中には、積極的にガンガンしゃべるつもりがそもそもないという人が少なからずいます。実際、おしゃべりな人が1人いれば、他の人はほとんどしゃべらずに終わっても不思議はないのがグルインです。

これも結局、**リクルーティングの段階で手を打つ**のがいちばんです。グループではなく、マンツーマンのインタビューであることをしっかり伝えられていれば、グルインねらいの人は応募してこないはずです。

それでも、先の彼女のようにまぎれ込んでしまった場合の対処法です。「1人のほうが気楽に好きなことを言えてむしろ楽ですよー」とか、「わたしとおしゃべりするだけだから心配いりません」などと言って、**マンツーマンの気楽さを伝えてあげてください**。他の人の出方や反応をうかがう必要がなく、好きなように自分の言いたいことを言えて、その好き勝手な意見をモデレーターがビックリするくらい真剣に聞いてくれるという状況に対して意外とノッてくる人は少なくありません。

最後に「あっという間で、すごく楽しかったです」と言ってもらえる楽しいインタビューを目指しましょう。

③残り時間をばっちり把握していることを伝える

よい感じで対話を重ねていたのに、急にユーザーの口が重たくなることがあります。それはおそらく、**モデレーターがやらかしちゃった系**。ラポールが崩れたということです。そんなときはまず、『32「ちゃんと聞いてるの?」と思われたら終わり』で紹介した対策をふり返り、実行に移します。

原因としてもうひとつ、**時間が気になっているというケース**があります。終了後に約束があって、どうしても予定どおりの時間に終わりたいと思っているユーザーは、残りあと15分くらいのところでそわそわしはじめます。時計を探したり、スマホを出して確認したり。そして、無意識のうちに口数が減り、回答がぶっきらぼうになっていきます。

そんな様子に気づいたら、「残り15分を切ったので、すこし急ぎますね……」とか、「残りの15分で○○についてうかがいたいのですが……」と、残り時間をしっかり把握していることをさりげなく伝えてください。

モデレーターが時間を忘れていないこと、予定どおりに終わるつもりで進めていることを知ればユーザーは安心します。

41

観察室とのやり取り

観察者からの要望を残り5分でさばけるようにするには

残り5分くらいのタイミングで観察室へ戻り、追加の質問がないかとたずねると、「あれも聞いてほしい」「これを確認してほしい」と要望が出ることはほぼまちがいありません。

でも、「それについてはさっき聞きましたよね？」というのが多くて驚きます。「きちんと聞いてました？」と、つっこみたくなることもしばしば。とは言え、せっかく観察に来てくれた人（しかも依頼主）にそんなつっこみを入れてチームの雰囲気を壊すのもなんだし、正直な話、時間ももったいないです。

そんなタイムロスを阻止し、残りの貴重な時間を有効に使うための対策があります。

① 付せんに書いておいてもらう

「残り5分ですけど、追加で聞きたいことありますか？」といきなり言われて、的を射た要望をすんなりわかりやすく伝えるのもかんたんなことではありません。それができるのは、事前に知っていればこそです。

そういう時間を最後に予定していることをガイドに書いたうえで、口頭でも伝え、付せんを渡して書き出しておくようお願いします。付せん1枚に質問ひとつを厳守してもらえば、付せんの枚数で追加の質問数をざっくり把握できます。多ければ、その中から優先度の高いものを選んでもらいましょう。

モデレーターが付せんをそのまま持っていくことができるのも大きな利点です。その場でメモったり、記憶したりする必要がなくなって認知の負荷と時間の節約になります。

②観察室に取りまとめ役を置く

とは言え、残り5分のタイミングで数ある付せんの中からどれにしようかな……とやるのではやっぱり時間がかかります。また、書き出された質問の中には、もう聞いたものや、わずか5分では聞ききれないヘビーなものがいろいろ混ざっています。

それらを取りまとめて、交通整理できる人間が1人観察室にいると助かります。

- すでに聞いた質問
- 調査の目的から外れる質問
- 残り時間ではさばききれそうにない質問
- このユーザーからは答えを得られそうにない質問

こうした質問を排除して、もっとも有効そうなものを選りすぐる役割を観察室にいる誰かに担ってもらいましょう。

③リアルタイムで要望を受け取る

これまでは、モデレーターが観察室へ行き、追加の質問を受け取る想定でしたが、**理想的なのは、観察室からの要望をリアルタイムで、席を外すことなく受け取ること**です。

リアルタイムで受け取れれば、話の流れの中にうまく入れることができます。最後に追加でとなれば、「さっき○○とおっしゃっていた話なんですけど……」のように前置きして、話の流れや内容をユーザーに思い出してもらうくだりがどうしても必要になり、時間を食います。

インタビューの途中で、付せんをモデレーターのところへ運ぶというアナログな方法を取る場合もありますが、付せんが向かっていることを知らずに次の話題へ進んだあとだと、新たな話題を中断してすこし巻き戻すことになるのでやっぱりタイムロスになります。裏で誰かが見ていることをユーザーに思い出させることにもなるのであまり好ましくありません。

ならばと、モデレーターのスマホにテキストメッセージを送ってもらう手もありますが、メッセージが届いた瞬間に気づかないとかえって面倒です。メッセージを送るほうは急ぐあまりに前後の文脈を省略して、聞きたいことをダイレクトに書きますから、見当ちがいのタイミングでそれを読んでしまった場合にはさっぱりわからなくて困ります。スマホを見やすいところに置いたり、通知をオンにしたりして気づきやすくすればユーザーも気づいてしまいます。ユーザーの話を聞きながらスマホをチラチラ見るのも失礼ですし、できれば使いたくない戦法です。テキストで要望を受け取るなら、**ノートパソコンをモデレーターの脇の、ユーザーからはのぞき込みにくい場所に置くことと、読むことに負荷がかかりすぎないようにする工夫が必須**です。たとえば追加で聞いてほしい質問の先頭には「＋」のアイコンを置くとか、その話題をもっと深堀りしてほしいというメッセージには「モグラ」のアイコンを添えるとか、そんなちょっとした配慮があるだけで格段に読み取りやすくなります。

同時通訳用の無線機か、なければトランシーバーアプリを使って、観察室から音声で指示してもらう作戦もおすすめです。モデレーターは片耳にイヤフォンを装着して準備万端。慣れないと、指示に対して「はい」とか、「え？」とか反応してしまいユーザーに怪訝な顔をされますが（新人のころに何度もやりました）、慣れてくればユーザーと話をしながらでも聞き取れるようになります。指示を出す人は、対話が途切れたタイミングを見計らってしゃべる気配りをお願いします。

方法はともかく、大事なのはチームワークです。ユーザーと対話しながら、五感と思考をフル回転させているモデレーターの認知負荷を理解したうえで、いくつかの方法を試し、モデレーターがいちばんやりやすい方法を選びましょう。

④一度出た要望は一度切りで終わらせない

関係者がどうしても聞いてみたい、聞いておきたいと思った問いは、このユーザーに聞ければ十分とはならず、たいてい次も、その次にも、そして結局全員に聞いて！　となることがほとんどです。

ガイドに並んでいる問いとの関係性が薄いものの場合は、最後にかならず追加で聞くという位置づけにしますが、話の流れで聞けてしまいそうな問いであれば、途中に差しはさむことにします。**付せんに書いて適切なページに貼っておけば忘れる心配も減ります**。ガイドをアップデートするのがスマートな対処ではありますが、セッションの合間にプリントアウトして、コピーしておいた分と差し替えて……というのはなかなか手間ですし、たくさんコピーしてしまっている場合は紙ももったいないので、付せんの使いまわしで乗り切りましょう。

それよりも**心配になるのは時間**です。準備の段階で苦労して質問を絞り込んだのに、当日になってどんどん追加されていけばまた収まりきらなくなりそうで心配です。でも実際には、3人、4人とインタビューを重ねていくうちに、時間に余裕が出てきます。質問を言い慣れて、口がなめらかに動くようになることでほんのすこしずつですがひとつひとつの問いにかかる時間が短縮されたり、話題がどう流れるかが想像できるようになって、つなぎがスムーズになるおかげです。**そうして浮いた時間を追加質問にあてるつもりでいれば大丈夫**。よい感じにおさまります。

観察しながら記録を取るときの注意

追加で聞きたい質問を書き出してもらうために渡した付せんに、インタビューを聞いていて気づいたことや気になったことまでどんどん書いてしまう人が現れます。それらを貼り出して共有すれば、分析や解釈を効率よく進められると考えるからです。しかし、各自が自分のやり方でやみくもに書き出したものはその場かぎりのメモにしかならず、そのあとの作業効率を上げるようなものにはなりません。せっかく書き出すなら、少なくとも次の2つのルールを決めましょう。

・ユーザーの識別番号（P1など）をかならず書き添えること
・付せんの色を変えるなどして、事実と解釈を分けて書き出すこと

観察をしながらだと、いちいち付せんの色を確認してから書き出すのは大変です。区別なくノートにメモを取っていくのがかんたんなので、慣れないうちは付せんよりもノートを使うのがおすすめです。

図1のようなシートを用意してあげるのもよいかもしれません。

ついカッコつけて、たくさんの気づきを得ることのほうに一生懸命になってしまう人が多くなり

図1

観察者用のシート

月　　日　　　　　　記録者：

セッション	観察したこと	観察により気づいたこと
P.		
P.		
P.		
P.		
P.		

がちなので、観察中は事実をありのままに受け止めることのほうを優先すべきであることを事前に伝えましょう。なぜなら、ユーザーとモデレーターとの対話はつづいていくからです。ちょっと気になった言動を解釈して書きとめようとしているその瞬間にも、ユーザーが別の大事なことを口にするかもしれません。それを逃さないために解釈は後回しにします。解釈する時間はあとからたっぷり取ればよいのですから。

42

行動観察　その1

視点を切り分けないと、動線記録ばかりが充実する

ユーザー調査の目標はいつだって「コンテクスト・オブ・ユース（利用状況）」をガッツリ把握することです。インタビューでそれを実現しようとするなら、人間の認知特性を踏まえた慎重な対話の積み重ねが必要になります。それよりも**行動として現れた事実を観察により把握するほうが、嘘やごまかしのないより真実に近いデータを手に入れられる**と考え、行動観察という手法を選んだとしましょう。

そして行動観察してみたら、調査チームの全員がユーザーの行動と視点を追いかけた結果、非の打ち所がないバッチリすぎる動線（ユーザーが動いた軌跡）の記録は手に入ったものの、それ以外の視点がペラッペラで役に立たず。結局やり直すという羽目になったのは痛恨のミスでした。

段取りいろいろ乗り越えて、せっかく行動観察までこぎ着けたなら、次のような**3つの観察視点で挑められるよう、3人以上の調査チームを組むのが理想**です。

①ユーザーが見ているものを同じように見る

レジ打ちスタッフの働きやすさを向上させることを目的に行動観察をする例で考えてみましょう。まず欠かせない視点として、レジ打ちスタッフ（本節の「ユーザー」はこのレジ打ちスタッフを指します）のものがあります。ユーザーがレジ台に立って仕事をするときに、**どんな刺激情報を知覚し、頭の中でどのような思考をし、どんな判断をしてどんな行動を起こすのか（つまり、認知活動全般です）を、本人になりきって追体験する**のがひとつ目の視点になります。調査チームの中でも共感力の高い人が、モデレーターの役割と兼務します。

「影」のごとくユーザーにはりついて観察するイメージから**「シャドーイング（Shadowing）」**と名前がついています。ユーザーには、影のことは忘れて、普段どおりに行動を取ってもらいます。ちなみにこの呼び名のせいで、太陽の光が届く屋外での調査にしか使えない手法と勘違いしている人がたまにいますが誤解です。

シャドーイングは、ユーザーに乗り移って、ユーザーの主観で状況を見られるかどうかが肝です。そして、ユーザーの五感（皮膚感覚、視覚、聴覚、嗅覚、味覚）に訴えかける情報の存在やそれが活用される文脈とタイミングをつぶさに捉えて記録します。動線の記録も基本的にはこの人の担当です。

ユーザーになりきるには、真後ろに立つのが効果的ですが、それだと視線がどこを向いているのかを確認できませんし、ユーザーの真正面の状況が完全な死角になってしまいますから、**斜め後方くらいでユーザーの目元や口元が見えるくらいの立ち位置**が最善です。

また、レジ打ちのような職場環境での行動はその職業経験のない人にはわからないことがたくさんあります。下見をする時間をしっかり取ったり、行動観察の前後にユーザーインタビューを組み合わせて補完したりする工夫をしましょう。

②ユーザーが置かれる環境を客観的に外から眺める

ユーザーに乗り移って、主観的に目の前の状況を見ようとする①の担当者は意識や注意を細部に寄せることになります。**それを補足するための鳥瞰的な視点**がふたつ目です。

ユーザーが身を置く空間やそこに存在するオブジェクト（物体）、他者とのインタラクション（やり取り）などをひたすら観察し、記録します。壁に止まったハエのごとくその場に張りついて観察をする様子から「**フライオンザウォール（Fly on the wall）**」と呼ばれます。

ビデオカメラを持ち込める場合は、全体像を捉えられる位置にカメラを固定し、必要に応じて画角調整をしながら、現場を広く観察しつつ気づいた事象をノートに記録します。この例では、レジを利用する買い物客の様子、レジ打ちスタッフと買い物客とのやり取り、他のレジ打ちスタッフのかかわり方などに焦点をあてることになります。

カメラを固定できない場合は手持ちでやるしかないのでノートは取れなくなります。人員に余裕がある場合はもう1人別に記録係をたてられると安心ですが、調査チームの人数を増やすと環境に影響が出て、ユーザーやそこに居合わせる人たちの行動が歪むことも懸念されます。場合によっては、録画した映像をあとから見直してデータを書き起こす時間を取ることにしましょう。

そもそもカメラを持ち込めない場合は、鳥瞰的な視点で見たことを見たままの事実として記録していくことになります。チームの中に映像記憶能力（目に写った対象を映像のまま記憶する能力）を持ったスゴイ人がいれば楽勝ですが、そんな人はなかなかいないので、現実的なところでは**スケッチのできる人に担ってもらう**とよいでしょう。見たことをすべて文字で記録しようとするよりも、イラストを交えられれば記録できることが増えるはずです。

③ユーザーと接する第三者の目でユーザーを見る

同じ空間やオブジェクト（物体）を利用する第三者の立場に立ち、その**第三者としての体験を自分で観察する**のが3つ目の視点です。特に名称はありませんが、強いてつけるなら「なんちゃって参与観察」といった感じでしょうか。

スーパーの調査であれば、**ユーザーと直接やり取りをすることになる「買い物客」**として場に入り込むことができそうです。客の視点でユーザーの言動を見たときに気づいたことを記録しますが、体験中は体験に没頭し、直後に気づきを書き起こす段取りが必要です。

①や②を担当した人が日を改めて③を実施することもできますが、その場合、ユーザーの目には純粋な買い物客としてではなく、調査員として映ることになるでしょうから、ユーザーの行動は少なからず歪みます。①や②を担う人とはちがう誰かが担当するか、人員が足りない場合は、調査を実施する前に一般の買い物客を装ってコッソリ観察する作戦がよいかもしれません。

行動観察はこのとおり、経験を積んだ数人でチームを組んで、さまざまな役割を分担するのが理想です。しかし、**1人ではお手上げというわけでもありません**。カメラを固定できるなら、あとで見直すことで鳥瞰視点を補えますし、なんちゃって参与観察も、先に書いたとおり調査に先立ってこっそり実施してしまえればなんとかなります。ただし、数人チームで挑むなら短期間でシャキっとフィールドワーク（現場に入り込んで行動観察することを言います）を終えられますが、モデレーターが単独で、あれもこれも担うとなれば日数がかかります。**大人数（と言っても3～4名くらいが限度）で乗り込み、短期集中で終えるのがよいか、1人の調査員が連日観察に入るのがよいか、調査に協力いただく現場とよく相談して決めましょう。**

43 行動観察 その2
行動を説明させたおかげで、行動が歪む

行動観察の場合は雑談とかんたんな属性情報の確認をしながらラポールの形成を目指しますが、それがうまくいかないと（あるいは短時間で達成する自信がないと）ついアレコレと聞いてしまいたくなります。行動観察を確実に成功させたい！ という気負いもあって、**観察することになる行動の概要を質問してしまうのがよくあるまちがい**です。「○○をするときはいつもどのようになさっていますか？」みたいな感じで。

そして、いよいよ行動観察をはじめますというときに、ユーザーに次のように言われたら、余計な質問をしたこと確定です。

「さっき言ったとおりにすればいいんですよね？」

こうやって確認してくれればまだ修正が可能ですが、そうでなければユーザーの歪んだ行動をさも自然な行動として捉えてしまうことになって調査は失敗です。こうした事態を避けるための

策をきっちり講じましょう。

①ユーザーに行動を「宣言」させない

人は、自分の言葉や態度、そして行動を一貫したものに保とうとする強い欲求を抱えています。「一貫性原理」と呼ばれます。

言動が一致しない人は裏表のある人とみなされ、逆にそれらが一貫している人は知的水準が高く、優れた人格の持ち主とみなされるであろうことを経験的に知っているため、自分の発言に合わせて、そのあとの行動を無意識に変更し、発言と一貫させようとする可能性があるということです。

「○○をするときはいつもどのようになさっていますか？」という質問に対するユーザーの答えは「このあと、言ったとおりに行動します」という宣言にほぼ等しくなってしまいますから、聞いてはダメです。先に聞いておいたほうが観察も記録もしやすくなりますが、それはぐっとガマンしてください。

ちなみにこれは、ユーザーインタビューの中でプロトタイプに触れてもらい意見を聞いたり、仮説を検証したりしようとするときも同じです。ユーザーの行動を観察して実態を探ろうとするときには先に余計な質問をしないこと。コレが鉄則です。

②行動にも「正解はない！」ことを伝える

ユーザーが「さっき言ったとおりにすればいい」と思う理由のふたつ目は、それが求められる行動だと考えるから。つまり正解探しです。

うっかり宣言をさせてしまい、「さっき言ったとおりにすればいいですか？」と言われたときには、インタビューのときと同様にうっかりうなずかないのが肝心。そして次のように切り返します。

「やり方はいろいろとあると思うので、さっきおっしゃったとおりでなくてぜんぜん大丈夫です。そのときどきの気持ちのままにやって見せてください」

行動の選択肢がひとつとはかぎらないことをほのめかしたうえで、宣言どおりに行動する必要はないことを伝えます。

③言動が一貫しない場合は「行動」を信じる

自分の発言のほうに行動を寄せるのとは逆に、行動について説明するときにも、それに合わせて感情のほうを一貫させようとする無意識の力が働く可能性があります。

自分の取った行動が非効率だったり、非生産的だったりしても、それを素直に認めて反省するより、それが十分に効率的で生産的な行動だったと信じ、結果にも満足していると自分自身に信じ込ませてしまうほうが気持ち的に楽です。そういう楽な道を人間は選ぼうとする欲求を持っていますから、**行動観察のあとに結果に対する気持ちを聞いても真意が出てこない可能性があります**。観察した行動とインタビューの発言に一致しないところがある場合は、**行動のほうが信憑性の高いデータだと受け止めます**。

どうしても言質を取りたい場合は、人の記憶があてにならないことを逆手に取って、すこし時間を置いてから、まったく別の質問として問いかけます。

44
当日の締め

聞かれても思い出せずに焦る

「今日の2人目のユーザーさん、〝ほにゃらら〟って言ってましたよね？」

一日の終わりにこんな風に言われて、ぜんぜん思い出せなくて焦ることは少なくありません。「そんな話ありましたっけ？」とか、「どんなユーザーさんでしたっけ？」と返して、依頼主に「こいつ大丈夫か？」という顔をされたこともあります。

特等席でユーザーの話を聞いてきたモデレーターは、ほんの些細な表情の変化も見逃さず、耳にした言葉の数々をつぶさに記憶しているものだと期待されがちですが、そんな超人的なことは不可能です。人の記憶容量には限界がありますから。それに、認知能力のかぎりを尽くしてユーザーと対話を重ねた直後はかなりへとへとです。

しかし、「忘れました」「覚えていません」では役立たずと思われてしまうので、**思い出して語れるように、思い出せないことはササッとデータを確認して答えられるように事前に策を講じておきましょう。**

①ガイドに書いたメモをざっと整理する

同じ質問をくり返してラポールを壊すことのないように、メモを取りながらユーザーの話を聞いたはずです。でも、殴り書きのメモをそのままにしておくと、自分でもなんのことやらさっぱり……みたいな悲しいことになりかねません。**次のユーザーが来るまでの休み時間にちゃちゃっと整理します**。

読みにくいところは読めるようにしたうえで、次のようなポイントに、☆をつけたり、○で囲んだり、マーカーで線を引いたり、**自分なりの方法で印をつけます**。

- 調査で明らかにしたかったことに直結しそうな話
- 複数のユーザーに共通すると思われる行動や感情
- 他のユーザーとはちがう特徴的な言動
- 自分の想像の範囲になかった驚きの発見

特に**最後のひとつ**が重要です。「なんとなく大事なことのような気がするけれどまだうまく説明できない」と思うぼんやりしたなにかがあれば拾っておきます。そうして印をつける行為が記憶をすこし強めることになり、他のユーザーと似たような話になったときに思い出して深掘りしやすくなります。

②ユーザーの特徴を書き添える

ユーザーの似顔絵を描ければもってこいです。お絵描きが苦手のわたしは、ユーザーの特徴や印象をかんたんに書いておくことにしています。

「グッチのメガネがお似合いのキャリアウーマン」とか、「雪だるま柄のネクタイと不釣り合いな強面」とか、「ノート持参のメモ大好きおじさん」といった感じで、**見た目の特徴や調査のときの態度を書いておけば対話を思い出しやすくなります**。

余裕があるときはさらに、調査のテーマに関連した特徴的な行動や態度を書き添えます。読書に関する調査の場合はたとえば「ノート持参のメモ大好きおじさん。読書するときも線を引きまくり。それができなくなるのがイヤで電子書籍へ移行していない」という感じです。

事実として確認できたことのみに注目し、**自分の解釈ははさみません**。あくまでも、あとから記憶をたどりやすくするための下ごしらえというレベルにとどめます。

③電子データを整理する

録音や録画のデータは、ユーザーごとにフォルダをつくり、そこに放り込んでいきます。どれがどのユーザーのデータかわからないような状態で放置すれば、あとからほしいものを探すときに手間がかかりますので。

ユーザーにやってきてもらった宿題や、調査の最中に書き出して共有したものなどがあれば、その場で写真を撮ってフォルダに置き、万が一の紛失に備えます。その書類には、撮影する前に、コラム『ユーザーの識別番号』（↓171ページ）で紹介した**記号を書き足す**のをお忘れなく。

調査中に撮った写真は時系列に並べ、いちいち開かなくてもどんな写真かを推測できるようにメタデータを付けたり、分類ごとにフォルダを分けたりしておけば参照しやすくなります。

第5章

データを読み込む

すべてを台無しにする分析と解釈の落とし穴

データの整理　その1

45 生データに戻れるようにしておかずに地獄を見る

最後のユーザーを見送ったときの達成感はひとしおです。滞りなく調査を完了したような錯覚に陥ることも少なくありません。しかし何度も書いてきたように、そこで力尽きたり、満足したりしてはダメです。調査で得られたデータを整理して分析し、そこからなにが言えるのかを解釈して次につづくべきアクションを決め、それを担う人たちへバトンタッチするところまでやってこその調査ですから、一息ついている暇はありません。

それに、人の記憶は時間の経過とともに薄れたり、他の記憶と混じったりして再構成されていきます。さらに人には、自分の持っている知識を中心に判断を下そうとする「自己中心性バイアス」もあります。ユーザー調査で得た知識のみを抽出し、それを元に判断を下すことができればよいのですが、人間の脳はそうさせてはくれません。**一息つきたい気持ちはわかりますが、認知の弱点に対抗するためにもできるだけ間をおかずに分析へ進むのが妥当です。**

そうして勢いよく分析と解釈までを済ませて、依頼主に報告に行ったときのことです。

「ここの解釈の元になったデータを確認したい」

と言われました。どういう文脈で、どのような発言があったのかを確認して、解釈の妥当性を判断したいという趣旨です。そして、「どの人だったかすぐに出てきませんが、たしか女性のユーザーが○○○というようなことを言っていたのが元と言えば元だったはずなんですが……」と、歯切れの悪い返答しかできなくて青ざめた経験があります。その場で問い詰めても無駄だと悟った依頼主からは「後日で構いませんので、確認してお知らせください」と言われました。帰って録画をさんざん見直す羽目になったのは最高に苦い思い出です。

データを分析するときには、生データ（未加工のデータをこう呼びます）をいつでも参照できるようにしておくのが鉄則です。その準備を怠って前のめりに分析をはじめてしまうと、連日徹夜で録画を見直すという地獄を見ることになります。次のような対策を打ち、いつでも生データに立ち戻れる安心感を持って分析に進みましょう。

①音声データの書き起こしをする

純粋な生データは録画や録音になりますが、確認したいことがあるたびに見直したり、聞き返したりしながら悠長に分析を進められるようなゆるい状況はありません。というか、そんな疲れることは誰もやりたくないはずです。

分析慣れした熟練者揃いの調査チームで、自分たちの認知バイアスを自覚し、それに屈して歪んだデータの見方をすることがないと言い切る自信と実績があるなら、音声データの書き起こし（「**発言録**」とも呼ばれます）は省略できるかもしれません。が、そうでなければ**書き起こしは必須**です。

お金はかかりますが、プロに頼めば早くて確実です。そしてどうせ頼むなら、録音データの書き起こしではなく、**調査に同席して、その場で速記してくれる書記さんを手配しましょう**。仕上がりが早くなるだけでなく、聞き取れなかった部分や意味がわからず変換に困った漢字などを、モデレーターなどその場に居合わせた人に確認できるので精度も上がります。インタビュールームの貸し出しやリクルーティングの会社に「書記」ないしは「速記者」の派遣をできないかどうか問い合わせてみてください。

予算がなければ自力で書き起こすことになりますが、1時間の録音を書き起こすのに、3倍の3時間くらいはかかるとみてください。ちなみに、GoogleやAmazonが音声データをテキストに変換するサービスをはじめていますから、その精度が上がってくれば、かかるお金と時間は短縮できるようになるかもしれません。ただし、１００％信頼できるようになるまではもうすこし時間がかかりそうです。

モデレーター自身が書き起こすときは、認知的不協和から逃げないように細心の注意を払います。「どうしてここでもっとつっこんで聞かなかったんだよ……」「ここは誘導しているように聞こえる……汗」「なんで同じこと何度も聞いてるんだ?」と、自分の失敗を目のあたりにしたときに「録音が悪くて聞こえなかったことにしよう……」という悪魔のささやきが聞こえてきて、聞いたとおりに書き起こすという原則から思わず逃げ出したくなりますので。逃げずに向き合う自信がなければ、モデレーター以外の人材を確保して書き起こしてもらいます。

手段はどうあれ、**音声データをただ書き起こすと図1**のようなものができあがります。これに、**誰の発話なのかを追記し、モデレーターの手元の記録などで確認できた聞き漏らしを埋めれば図2のようになります**。素起こしとしては、ここまでやっておきたいし、外注する場合もここまでやってくれる人にお願いするとかなり効率的です。些細なことに聞こえるかもしれませんが、60分のインタビューを書き起こせば30ページ前後になります。それを人数分です。これを自分で書き起こすと思ったら気が遠くなりますね。どうせ外注するなら希望を伝えて、仕上がりを使いやすいものにしてもらいましょう。

②録画データやメモから行動を書き出す

録画データの中に、音声データからでは**書き起こせない内容が含まれているなら、見直して、書き出しておく必要があります**。録画できなかった場合なら、モデレーターの手元のメモや、別に観察担当を配置した場合はその人の記録などを頼りに書き出します。

図1

某本屋にて実施したコンテクスチュアル・インクワイアリーの音声データを書き起こした例（抜粋）

では、ご自由にどうぞ。

はい。

なんで、それを手に?

めっちゃ面白そう。あの、なかなか、こう、読みたいけど、読めないのが古事記。まぁ、本物は読まないですけど。でも、これは簡単に読めそうだし。この間、歴史の、こういう似たようなの買ってみたら、めっちゃ面白くて、旦那にも好評だったから。ちょっといいなぁって思って…買うかも、しれないけど、今は。今から持つと重いので。

『(聞き取り不可)』の原著か。へー。原著、こんな感じなんだ。

原著っておっしゃってたんですけど、原著じゃなくて翻訳のは
あ、もう買っちゃったんです。

あ、そうなんですね。

んー。

…この人は嫌い。

それは、何か気になりました?

んーと、エスノグラフィなのは、タイトルでわかったんですけど、この手のやつは、けっこう読んでるのと、ちょっと…どうかなぁ…。

っていうのは?

社会学的な分野でのエスノグラフィ調査の結果を、結果というか、経緯を含めて全部まとめた本は、んー。

これこれ! この間、買ったやつです!

あ、そうなんですねー。

これ、すっごい面白かったの。一番面白かったのが、
夏目漱石だったかなぁ…。夏目漱石が、それを、夏目漱石が、鼻毛を抜

図2

図1の書き起こしに発話者のラベルを付け、抜け漏れを補った例（抜粋）

P5（2019年4月7日実施@渋谷）

M：では、ご自由にどうぞ。

P5：はい。

M：なんで、それを手に?

P5：めっちゃ面白そう。あの、なかなか、こう、読みたいけど、読めないのが古事記。まぁ、本物は読まないですけど。でも、これは簡単に読めそうだし。この間、歴史の、こういう似たようなの買ってみたら、めっちゃ面白くて、旦那にも好評だったから。ちょっといいなぁって思って…買うかも、しれないけど、今は。今から持つと重いので。

P5：『ファクトフルネス』の原著か。へー。原著、こんな感じなんだ。

M：原著っておっしゃってたんですけど、原著じゃなくて翻訳のは

P5：あ、もう買っちゃったんです。

M：あ、そうなんですね。

P5：んー。

P5：…この人は嫌い。

M：それは、何か気になりました?

P5：んーと、エスノグラフィなのは、タイトルでわかったんですけど、この手のやつは、けっこう読んでるのと、ちょっと…どうかなぁ…。

M：っていうのは?

P5：社会学的な分野でのエスノグラフィ調査の結果を、結果というか、経緯を含めて全部まとめた本は、んー。

P5：これこれ! この間、買ったやつです!

M：あ、そうなんですねー。

たとえば先の例のように、モデレーターが質問をしながら行動を追いかけるコンテクスチュアル・インクワイアリーという手法で実施した調査であれば、**図3のように発話の前後にある行動を書き足せる**はずです。下線部分が足された行動データです。

このときも、もし認めたくない失敗があれば認知的不協和との闘いになります。モデレーターが「誘導」と判定されそうな行動を取っていた場合は、それを正直に書いておく必要があります。たとえば、モデレーターがユーザーの前を歩いてしまったり、行く手を塞ぐように立ってしまったりしたせいでユーザーの進路が変わった可能性があるような場合です。

認知的不協和に打ち勝つ自信がなければ、行動データの書き起こしも含めて第三者にお願いしましょう。ただし行動データの書き出しは、聞いたままに書き起こすことを職務とする書記さんには頼めません。調査の内容や枠組みを理解し、必要と思われるデータを書き出せる人にお願いするのが妥当です。

図3

音声データの書き起こしに行動データを書き足した例（抜粋）

凡例
M：モデレーター
P5：ユーザー
行動データ

P5（2019年4月7日実施@渋谷）

M：では、ご自由にどうぞ。
P5：はい。

レジ前の話題図書のコーナーへ直行する
平積みから『絵物語古事記』を手に取る
M：なんで、それを手に？
P5：めっちゃ面白そう。あの、なかなか、こう、読みたいけど、読めないのが古事記。まぁ、本物は読まないですけど。でも、これは簡単に読めそうだし。この間、歴史の、こういう似たようなの買ってみたら、めっちゃ面白くて、旦那にも好評だったから。ちょっといいなぁって思って…買うかも、しれないけど、今は。今から持つと重いので。
『絵物語古事記』を棚に戻す
『ファクトフルネス』を手に取る
P5：『ファクトフルネス』の原著か。へー。原著、こんな感じなんだ。
M：原著っておっしゃってたんですけど、原著じゃなくて翻訳のは
P5：あ、もう買っちゃったんです。
M：あ、そうなんですね。
P5：んー。
『人生がときめく片付けの魔法』を手に取る
P5：…この人は嫌い。
『人生がときめく片付けの魔法』を棚に戻し、『ヤンキーと地元』を手に取る

46

データの整理　その2

印象的なデータが頭にこびりついて離れなくなる

認知の弱点に対抗すべく、間髪入れずに分析へ進もうとする姿勢は、調査チームよりも依頼主のほうが前のめりな場合が多いです。達成感に浸る間もなく、次のような質問をぶつけられることもあるほどです。

「最後のユーザーの『ほにゃらら』という一言がすごく強烈で頭から離れないのですが、他にも同じようなことを言ったユーザーはいましたか？　全部で何人ですか？」

「せめてデータを整理するまで待ってほしい」というのが本音ですし、定性調査なのに数のことを気にするのは無意味だと反論してしまいそうにもなります。しかし、**思い出しやすい情報のみに注力して判断を下してしまう「利用可能性ヒューリスティック」という認知バイアスの存在を考えると、これは決して悪い質問ではありません。**

最後のユーザーの強烈な一言が強く記憶された場合、利用可能性ヒューリスティックによって、その一言の重みが増してしまいかねませんし、実際の人数以上に多くのユーザーがこう考えているものだと記憶がすり変わってしまう危険すらあります。こうした認知の歪みに抗う準備として、**定性データであろうとも数えられるところは数えられるようにしておきましょう**。同時に、1人分で数十ページにもおよぶ書き起こしまで遡らなくても、ほぼほぼ信頼して参照できるデータの一覧をつくって対策とします。

①ユーザーリストとメモを活用してデータの一覧表をつくる

発言録は貴重な分析の土台です。しかし、「読み物」のような体裁のままではいちいち読むのも大変だし、ほしい発言や文脈を見つけ出すのも大変です。そこで、**モデレーターが手書きで取ったメモや、他の調査者が調査の様子を観察しながら取った記録などからデータの一覧表をつくります**。このとき、書き起こしがすでに仕上がっていればそれも使いますが、プロに依頼したとしても納品まで1～2日は要するので、それをボケっと待っているのは時間がもったいないです。書き起こしはあとからダブルチェックに使うことにして、まずは手元にあるメモを頼りにつくりはじめます。

『24 まちがえてユーザーを観察室に通しちゃった……』みたいな衝撃的なミスを防ぐための対策としてつくった**ユーザーリストを土台にします**。たとえば介護に関する調査でリクルーティングを完了し、アンケートの結果を図1のようなユーザーリストにまとめてあったとしましょう。

図1

「介護に関する調査」のユーザーリスト（抜粋）

		P1	P2	P3
実施日時	実施日	4月26日（金）	4月26日（金）	4月26日（金）
	実施時間	10：00 - 11：30	13：00 - 14：30	15：00 - 16：30
参加者属性	性別	男	女	女
	年齢	52	55	50
	仕事	製造業	事務職	専業主婦
		会社員	パート	−
同居の家族（要介護者＝背景色あり）	配偶者（夫または妻）	妻	夫	夫
	子ども	子ども	子ども	−
	自分の父	自分の父	−	−
	自分の母	−	−	自分の母
	配偶者の父	−	−	−
	配偶者の母	−	−	−
	その他	−	−	−
要介護者	参加者との関係	父	夫	母
	年齢	82	58	80
	居住状況	同居	同居	同居
要介護の主な原因	脳血管疾患	−	−	●
	認知症	−	●	−
	高齢による衰弱	−	−	−
	悪性新生物（がん）	−	−	−
	その他	● 骨折からの歩行障害	−	−
介護サービス利用状況	現在の認定区分	要介護1	要介護3	要介護3
	利用しているサービス	利用なし	デイケア（週4）	リハビリ（週1）
介護のつらさ	いちばんつらいと感じていること	いつ、なにをサポートすればよいのかわからない	終わりが見えないこと 金銭面の不安	最近、物忘れも出てきている

ユーザーリストを土台にするのは、箱をつくる手間を省く意味もありますが、**同時に年齢や家族構成などの属性データをあわせて見られるようにする**のがねらいです。「このユーザーはどんな人だったかな？」という記憶をたどるときには、年齢や性別などの基本属性が強い味方になります。これから書き足すデータと分離せず、常に一緒に参照できるようにしておきましょう。

ただし、ユーザーがまちがえて回答してしまったことやアンケートでは聞き逃したことがインタビューの中で判明することも少なくありません。**まちがえているところは修正し、追加できる情報は追記します**。介護に関する調査の例では次のような修正を加え、ユーザーリストを図2のようにアップデートしました。

- 家族の年齢
- 利用している介護サービスの内容（P2）
- 2人目の要介護者に関する情報（P3）
- 介護の分担状況

在宅介護の実態をつかみ、支援の方略を探ることを目的に行った調査だったため、リクルーティングの段階では別居している家族の存在までは配慮に入れていませんでした。しかし、兄弟姉妹が一丸となって取り組んでいる家族、遠方に居住しているためそれがままならない家族などの

図2

インタビューで確認された情報に修正したユーザーリスト（抜粋）

		P1	P2	P3
実施日時	実施日	4月26日（金）	4月26日（金）	4月26日（金）
	実施時間	10:00 - 11:30	13:00 - 14:30	15:00 - 16:30
参加者属性	性別	男	女	女
	年齢	52	55	50
	仕事	製造業	事務職	専業主婦
		会社員	パート	－
同居の家族（要介護者＝背景色あり）	配偶者（夫または妻）	妻（50）	夫（58）	夫（57）
	子ども	長女（19）	長男（28）	－
	自分の父	自分の父（82）	－	－
	自分の母	－	－	①自分の母（80）
	配偶者の父	－	－	－
	配偶者の母	－	－	－
	その他	－	－	－
2人目の要介護者	参加者との関係	－	－	②配偶者の母
	年齢	－	－	85
	居住状況	－	－	別居（名古屋市在住）
介護の分担状況	同居の家族／別居の兄弟姉妹らとの介護の分担状況	妹（50）が静岡市在住。週末に上京し、介護を代わってくれる。その間、夫婦で出かけて気晴らしをする。主たる介護人は参加者の妻	夫婦ともに一人っ子で頼るあてもなく、参加者がほぼ一人で介護を担っている。同居の子どもが手伝ってはくれるが、結婚を控えているのであまり負担を感じさせたくない	①電車で1時間ほどのところに住む義姉（兄55の妻で50）がお願いすれば代わってくれるが頼みづらいため、参加者がほぼ一人で介護を担っている ②配偶者の姉（60）が要介護者と同居。月に1～2度、配偶者がひとりで様子を見に行く。自分の母の介護を口実に同行しないため陰口をたたかれているらしい
要介護の主な原因	脳血管疾患	－	－	①脳卒中＋右半身麻痺
	認知症	－	アルツハイマー型認知症	②アルツハイマー型認知症
	高齢による衰弱	－	－	－
	悪性新生物（がん）	－	－	－
	その他	骨折からの歩行障害	－	－
介護サービス利用状況	現在の認定区分	要介護1	要介護3	①要介護3 ②要介護2
	利用しているサービス	利用なし	デイケア（週4） ヘルパー（週2）	①リハビリ（週1） ②不明
介護のつらさ	いちばんつらいと感じていること	いつ、なにをサポートすればよいのかわからない	終わりが見えないこと 金銭面の不安	①最近、物忘れも出てきている

存在がすぐに明らかになり、そうした縁戚間のコミュニケーション支援や負担の軽減なども求められていることがわかりました。そうした経緯から「介護の分担状況」という項目が増えています。

さらに、「介護サービス利用状況」や「介護のつらさ」など、**アンケートではかんたんにしか聞けなかった部分をインタビューの中で詳しく確認しましたので、それらをリストの下方にどんどん書き込んでいく**と図3のようになります。

こうしてデータを一覧にまとめるときにできる工夫を3つ紹介します。

ひとつ目は、**確認しそこねた部分については素直にそう書いておく**ことです。図3では、P3の「介護認定取得に対する要介護者の反応」について（未確認）と書かれている部分がこれにあたります。ただ、空欄にしておくのはよくありません。それではそもそもデータが存在しないのか、入力し忘れている状態なのかの判別ができないため、あとになってメモや書き起こしを再度確認する手間が発生してしまいます。

ふたつ目は、**「いいこと言った！」と思う発言は、報告書などでそのまま引用できるように「括弧」でくくっておく**ことです。手書きのメモから書き起こしている場合は、一言一句そのまま記録できていないかもしれませんが、書き起こしができあがってきたところで、当該部分をコピーして差し替えます。それまでは、「だいたいこういう発言だった」という内容を書き、（あと

図3

データ一覧（抜粋）

		P1	P2	P3
介護サービス利用状況	最初に認定を受けた時期	約1年前	約1年前	①2年前 ②不明
	認定を受けるきっかけ	ケアマネージャーからの助言	Webで調べて、同じ境遇の人の経験談などを読み、役所に問い合わせた	ケアマネージャーからの助言
	最初の認定区分	要介護1	要介護1	①要介護2 ②不明
	現在の認定区分	要介護1	要介護3	①要介護3 ②要介護2
	介護認定取得に対する要介護者の反応	「妻とケアマネージャーからていねいに説明したため、特に抵抗は感じなかった様子」	「説得するのに半年かかりました」	（未確認）
	利用しているサービス	利用なし	デイケア（週4） ヘルパー（週2）	①リハビリ（週1） ②不明
	行政サービスについての理解	介護認定や介護サービスについての知識はとても低い。積極的に介護をしていると思わせる発言が多いが、知識レベルと発話から総合的に考察するかぎり**妻や妹への依存がかなり大きい**と推察される。	サービス利用状況の説明の仕方からは、自力でいろいろと調べてサービスを活用できているように見受けられるが、自分では**調べ切れていない感触**の様子。もっとも信頼できるはずの行政のサイトで手に入る情報を信用できないのが原因と思われる。仕事と介護を両立しながらの**情報収集にはオンラインを頼るしかなく（平日昼間に役所へ行けない）**、思うように情報が手に入らないので精神的にも疲れている。	急に介護が必要になったこともあり、なにもわからないところから自力で調べてきたため知識レベルはかなり高いと思われる。**役所の対応には不満**が多く、また**居宅介護支援事業所とそこから派遣されるケアマネージャーの対応にも不満**を見せる。
	行政サービスに対する意見	「**認定基準をもっとはっきり、わかりやすく**してほしい。どうすれば要介護2の判定になるのかいまだにわからない。なんとなくうさんくさい」「よくはわからないけど、**うちのケアマネージャーは“あたり”**だって嫁が言ってました」	「ヘルパーさんが本当に一生懸命やってくれているのかよくわからない。旦那曰く、**仕事中にスマホをいじっている**こともあるらしい。自分でみたわけではないので文句を言うわけにもいかないし、旦那が言っても体よくあしらわれてしまうので」「**ヘルパーに頼めることと頼めないことの線引き**が細かいし、厳しい。柔軟にやってくれるヘルパーにあたればいいけど、うちに来る人はぜんぜんダメ」「もっとうまいサービスの使い方があるのかもしれないけれど、情報がたくさんありすぎて、どれを信じていいかわからない。**行政のサイトはただただわかりにくい**し」「**結局、夜は家族が見なくちゃならないじゃない**ですか？　夜に見てもらえるサービスがあると、週に一晩でも二晩でもぐっすり眠れるようになるのに……」	「もう何度もケアマネージャーをかえてもらってます。なんかいい人にあたらなくて」「**どうすればいいケアマネージャーを見つけられるのか教えてほしい**。そういうこと役所とかはぜんぜん教えてくれない」「義母のところはいい人がついてくれているらしくてうらやましい」「認知症も重なったら介護施設に入ってもらうことも考えないとならないのかもしれないけど、近所で評判のいいところはいっぱいらしい。そもそも**施設の数がぜんぜん足りてない**と思うので行政はそこをなんとかしてくれないと……」
介護のつらさ	いちばんつらいと感じていること	「いつ、**どういうタイミングでサポートしてほしいと思っているのかがまだよくわからない**。俺が男だからっていうのもあるかもしれないですけど」 「嫁がやっぱり大変そうなので、たまに妹が来てくれるのは助かります」	「**いつまで続くんだろう？　というのがいちばんの不安**。死を望むわけでは決してないけれど、自分がひとりで最後まで精神的な支えになって、**経済的な支えにもならなければならない**というのが、終わりが見えなくてたまに涙が止まらなくなります。夫の前では泣かないようにしているけれど、ゴメンゴメンって言われるとつい……」 「このまま何十年も続けるのは無理なので、なんとか策を練らないとと思って、暇さえあればWebで調べるんですけど、**行政のWebサイトはほんとわかりにくい**ですよね」	「義姉は仕事を持っているんですよ。こっちは専業主婦だからって言ってるみたいなんですけど、**同時に二人も面倒見るなんて無理**です。わたしが名古屋に行っている間、主人が母を見られるわけでもないし」 「ただ向こうは認知症なんでね、**終わりの見えない辛さはあるのかもしれない**ですけど、うちの母も最近すこし物忘れが気になるようになってきてるんで、認知症も出たらどうしたらいいんだろう？　と思いつつ、考えないようにしてます」

で差し替え）のような目印を付けておくとよいでしょう。

最後は図3で太字になっている部分です。**データを入力しながら、調査で明らかにしたかったことに直結しそうな部分やじっくり分析してみる必要性を感じるところなどを目立つようにしておきます**。太字でなくても、色をつけたり下線を引いたり、自分のやりやすい方法で構いません。データを読むときの効率アップにつながるように、自分なりに工夫してください。ただし、目立たせることで効率は上がりますが、同時に、他の部分を読み飛ばすことを促すことにもなります。この一覧を調査チームのメンバーや依頼主と共有する予定なら、一部に注意を向けるような工夫はせず、受け取った人が各自で重要と思う部分を強調する段取りにしてください。

②データを横串で読みやすく表を整える

ユーザーごとのデータ入力が済んだら、次は横串でデータを読みやすく表を整えます。たとえば、**「行政サービスに対する意見」についてはいくつかに分類できそうなので、図4のように行を分けてしまいます**。言及のなかったところはここでは空白のままにして、セルの色を変えておくような工夫をしましょう。そうすれば、Excel の COUNTA 関数を使って、関連する言及をした**ユーザーの数を自動カウント**できます。

この例では、他にも要介護の主な原因などをカウントしておくことができそうです。冒頭にも書いたとおり、定性調査ですから数によって結論を出すようなことはありません。それでも、聞

図4

分類して数をカウントしやすくしたデータ一覧（抜粋）

			人数	P1	P2	P3
介護サービス利用状況	行政サービスに対する意見	情報提供について	6	※認定についても当該	「もっとうまいサービスの使い方があるのかもしれないけれど、情報がたくさんありすぎて、どれを信じていいかわからない。**行政のサイトはただただわかりにくい**し」	
		認定について	3	「**認定基準をもっとはっきり、わかりやすく**してほしい。どうすれば要介護2の判定になるのかいまだにわからない。なんとなくうさんくさい」		
		サービス内容について	4		「**結局、夜は家族が見なくちゃならない**じゃないですか？　夜に見てもらえるサービスがあると、週に一晩でも二晩でもぐっすり眠れるようになるのに……」	
		介護施設について	2			「認知症も重なったら介護施設に入ってもらうことも考えないとならないのかもしれないけど、近所で評判のいいところはいっぱいらしい。そもそも**施設の数がぜんぜん足りてない**と思うので行政はそこをなんとかしてくれないと……」
		ケアマネージャーについて	7	「よくはわからないけど、**うちのケアマネージャーは“あたり”**だって嫁が言ってました」		「もう何度もケアマネージャーをかえてもらってます。なんかいい人にあたらなくて」「**どうすればいいケアマネージャーを見つけられるのか教えてほしい**。そういうこと役所とかはぜんぜん教えてくれない」「義母のところはいい人がついてくれているらしくてうらやましい」
		ヘルパーについて	3		「ヘルパーさんが本当に一生懸命やってくれているのかよくわからない。旦那曰く、**仕事中にスマホをいじっている**こともあるらしい。自分でみたわけではないので文句を言うわけにもいかないし、旦那が言っても体よくあしらわれてしまうので」「**ヘルパーに頼めることと頼めないことの線引き**が細かいし、厳しい。柔軟にやってくれるヘルパーにあたればいいけど、うちに来る人はぜんぜんダメ」	
		不満なし	1			
介護のつらさ		いちばんつらいと感じていること		「いつ、**どういうタイミングでサポートしてほしいと思っているのかがまだよくわからない**。俺が男だからっていうのもあるかもしれないですけど」 「嫁がやっぱり大変そうなので、たまに妹が来てくれるのは助かります」	「**いつまで続くんだろう？　というのがいちばんの不安**。死を望むわけでは決してないけれど、自分がひとりで最後まで精神的な支えになって、**経済的な支えにもならなければならない**というのが、終わりが見えなくてたまに涙が止まらなくなります。夫の前では泣かないようにしているけれど、ゴメンゴメンって言われるとつい……」 「このまま何十年も続けるのは無理なので、なんとか策を練らないとと思って、暇さえあればWebで調べるんですけど、**行政のWebサイトはほんとわかりにくい**ですよね」	「義姉は仕事を持っているんですよ。こっちは専業主婦だからって言ってるみたいなんですけど、**同時に二人も面倒見るなんて無理**です。わたしが名古屋に行っている間、主人が母を見られるわけでもないし」 「ただ向こうは認知症なんでね、**終わりの見えない辛さはあるのかもしれない**ですけど、うちの母も最近すこし物忘れが気になるようになってきてるんで、認知症も出たらどうしたらいいんだろう？　と思いつつ、考えないようにしてます」

かれた意見が多数派なのか少数派なのかは議論の参考になりますし、際立った意見に引っ張られないように用心するためにも大切なデータになります。分析や解釈に進む前に数えられるものは数えておき、いつでも確認できるようにしておきましょう。

③縦串と横串のそれぞれに所見や所感を書き込む

発言の書き起こしまで遡らずにデータを確認できるようにしておくことが目的ですから、ここまで終わったら、そのまま分析へ進んでも大丈夫です。

ただし、**時間と気力に余裕があれば、調査者としての所見や所感を書き出しておくことをおすすめします**。分析時にかならずしも必要になる情報ではありませんが、『19「教えてください」と言ったら怒鳴られる』で紹介したように、人には知識の呪いと呼ばれる認知特性が備わっています。分析をはじめると、分析前の状態には戻れません。分析をくり返すうちに頭の中の知識や思考がどんどん拡充していきます。「いったんリセットしよう」と思っても、そうかんたんにはリセットできないのが人の脳の仕組みです。調査直後の素直な感想、分析前の段階で感じていたことや気づいたことを書き出しておけば、逆に分析しなければ見えてこなかったことがどういうことかを差分として引き出せるようになります。

まず、データを縦に読みます。ユーザーの顔や雰囲気、モデレーターとの対話の様子を思い出

図5

最下段にユーザーごとの所見や所感を追加した状態（抜粋）

		P1	P2	P3
介護の分担状	同居の家族／	妹（50）が静岡市在住。週末に上京し、介護を代わってくれる。その間、夫婦で出かけて気晴らしをする。主たる介護人は参加者の妻	夫婦ともに一人っ子で頼るあてもなく、参加者がほぼ一人で介護を担っている。同居の子どもが手伝ってはくれるが、結婚を控えているのであまり負担を感じさせたくない	①電車で1時間ほどのところに住む義姉（兄55の妻で50）がお願いすれば代わってくれるが頼みずらいため、参加者がほぼ一人で介護を担っている
	の理解		**はオンラインを頼るしかなく（平日昼間に役所へ行けない）**、思うように情報が手に入らないので精神的にも疲れている。	
介護のつらさ	いちばんつらいと感じていること	「いつ、**どういうタイミングでサポートしてほしいと思っているのかがまだよくわからない**。俺が男だからっていうのもあるかもしれないですけど」「嫁がやっぱり大変そうなので、たまに妹が来てくれるのは助かります」	「**いつまで続くんだろう？　というのがいちばんの不安**。死を望むわけでは決してないけれど、自分がひとりで最後まで精神的な支えになって、**経済的な支えにもならなければならない**というのが、終わりが見えなくてたまに涙が止まらなくなります。夫の前では泣かないようにしているけれど、ゴメンゴメンって言われるとつい……」「このまま何十年も続けるのは無理なので、なんとか策を練らないとと思って、暇さえあればWebで調べるんですけど、**行政のWebサイトはほんとわかりにくい**ですよね」	「義姉は仕事を持っているんですよ。こっちは専業主婦だからって言ってるみたいなんですけど、**同時に二人も面倒見るなんて無理**です。わたしが名古屋に行っている間、主人が母を見られるわけでもないし」「ただ向こうは認知症なんでね、**終わりの見えない辛さはあるのかもしれない**ですけど、うちの母も最近すこし物忘れが気になるようになってきてるんで、認知症も出たらどうしたらいいんだろう？　と思いつつ、考えないようにしてます」
	参加者ごとの所見／所感	長男として介護の必要な父親と同居し、自分なりの努力をしているようだが、発話から推察するに自分はあくまでもサポート役で妻や妹（女性）が介護をするほうが父親も喜ぶと思い込んでいるふしがある。主たる介護人ではないため、介護の内容や行政サービスに対する理解など発言に信ぴょう性のない面が何度か見られた。	認知症原因の介護は長くなる傾向が強いうえ、P2の要介護者は若年性アルツハイマー病が原因のため先の見えない不安が特に大きいと思われる。行政サービスについては自力でかなり調べ、理解も深い。ただし、それでも「調べきれていない」という感触なのは、行政サービスをもっと活用したいというニーズの現れとも考えられる。ただし、行政の対応に期待する感じは薄く、同じ境遇にいる介護人が発信する賢く立ち回る方法やコツを求める気持ちが強いようだった。	ケアマネージャーに対する不満が特に顕著だった。義母のケースと比較してしまうため、より不満を感じるのかもしれない。義姉と情報交換できれば、求める情報が手に入るかもしれないのにそれをしようとしないのはやぶ蛇になることを恐れているからか？　兄弟姉妹との連携に課題あり。現状では、ほとんど連携できていない。

追記した部分

しながら、**そのユーザーのデータから言えそうなことと、どんなユーザーだと感じたかを図5のように書き出します。**

さらに、項目ごとにすべてのユーザーのデータを横串で通読して、**全体的な傾向や特筆すべき事実、どんな分析が必要と感じるかなどをまとめたものが図6です。**

このように所見や所感を書き出しておけば、調査チームに求められている仕事の範囲が調査報告をまとめるところまでなら、これらをベースに報告書を仕立てられますし、「速報レベルでいいから明日ください」と言われた場合にも、これらをざっとまとめる程度で終わりにできます。さらに、ユーザーリストを土台に箱をあらかじめつくっておき、セッションの合間にもりもりデータの入力を済ませれば、「明日ください」というふつうに考えたら無理っぽいリクエストにも答えられるようになります。……大変ですけどね。

④書き起こしと照合する

手書きのメモをデジタル化し、所見や所感を追加する過程でも、データが歪む可能性があります。**書き起こしが上がってきたところで、一覧の内容と照合し、過度な要約や都合よく発言を言い換えたりしているところがないかどうかを確認しましょう。**一覧をつくった本人だけでなく、第三者にも目を通してもらえると安心です。

こうした一覧の作成を最初から想定しているのなら、先に箱をつくり、書記さん（ないしは調

図6

項目ごとの所見や所感を追加した状態（抜粋）

		項目ごとの所見／所感	P1	P2
介護の分担状況	同居の家族／別居の兄弟姉妹らとの介護の分担状況	P1やP7のように「主たる介護人」が他にいる場合、インタビューで語れる内容に限界があり、信ぴょう性の低い発話も混じるため、次回以降の調査ではリクルーティング要件として「主たる介護人であること」を追加すべきである。	妹（50）が静岡市在住。週末に上京し、介護を代わってくれる。その間、夫婦で出かけて気晴らしをする。主たる介護人は参加者の妻	夫婦ともに一人っ子で頼るあてもなく、参加者がほぼ一で介護を担っている。同居子どもが手伝ってはくれるか結婚を控えているのであま負担を感じさせたくない
介護サービス利用状況	行政サービスについての理解	理解度には介護人によってかなり差があることが確認された。要介護の度合いや認定を受けてからの日数など要因は複数考えられる（要分析）。P8のように介護サービスを受けられる要介護者を抱えながら、情報不足に起因してサービスへリーチできていない人も存在するため改善が望まれる。	介護認定や介護サービスについての知識はとても低い。積極的に介護をしていると思わせる発言が多いが、知識レベルと発話から総合的に考察するかぎり**妻や妹への依存がかなり大きい**と推察される。	サービス利用状況の説明の方からは、自力でいろいろと調べてサービスを活用できているように見受けられるか自分では**調べ切れていない**触の様子。もっとも信頼できるはずの行政のサイトで手入る情報を信用できないの原因と思われる。仕事と介を両立しながらの**情報収集はオンラインを頼るしかなく（平日昼間に役所へ行けない）**思うように情報が手に入らいので精神的にも疲れている
介護のつらさ	いちばんつらいと感じていること	認知症原因の場合は5名全員が「終わりの見えない介護」に対する精神的なつらさを挙げた。経済面の不安を重ねる人も3名みられた。 4名の介護人（P1, P4, P5, P10）が、要介護者にとってよりよいサポートを提供すべく勉強する意思があることを示唆（ただしP1は妻や妹への依存が大きいため信ぴょう性は低い）。ベッドでの寝起き、車椅子とベッド間の移動などを補佐するときの安心で安全な方法など、具体的な介助方法を手軽に学べる場所や機会がほしいとの要望が寄せられた。地域によってはこうした機会を積極的に提供しているところもあるが、それを必要とする人には届いておらず、情報発信の不備がここにも見受けられる。	「いつ、**どういうタイミングでサポートしてほしいと思っているのかがまだよくわからない**。俺が男だからっていうのもあるかもしれないですけど」「嫁がやっぱり大変そうなので、たまに妹が来てくれるのは助かります」	「**いつまで続くんだろう？というのがいちばんの不安**。死望むわけでは決してないけど、自分がひとりで最後ま精神的な支えになって、**経的な支えにもならなければらない**というのが、終わり見えなくてたまに涙が止まなくなります。夫の前ではかないようにしているけれどゴメンゴメンって言われるつい……」「このまま何十年続けるのは無理なので、なとか策を練らないとと思って暇さえあればWebで調べるですけど、**行政のウェブサトはほんとわかりにくい**でよね」

追記した部分

査チームのメンバー）にそこへ発言を書き込んでいってもらうのが早くて効率がよいのではないかと考えるかもしれませんが、それはおすすめできません。わたしもそう考えて、書記さんに頼んでやってみてもらったことがありますが失敗しました。理由はかんたんです。ユーザー調査のインタビューは、**事前に決めたとおりの順番で質問をしていく構造化インタビューではなく、ユーザーと対話をしながら臨機応変に舵取りをする半構造化インタビューになるから**です。

この質問に対する回答はここに記入する、という箱を先に用意してしまうと、発言を入力する前に「この話はどこに記入するべきか」を特定しなければならなくなります。適切な場所を探して表を上下に行ったり来たりしている間にも、ユーザーの発言は進みますから、そこを聞き逃したり、記録し逃したりすることになってしまいます。

また、前後の文脈がわからなくなってしまうのも心配です。どういう話の流れで、どんな発言が聞かれたのかをあとからたどれるようにしておかないと、録音を聞き直す羽目になりかねません。そうした手戻りを避けて、いつでも生データに戻れる安心感を手に入れるには、**発言をベタにそのまま記録してもらうことがとにかく大切**です。そこは効率よりも確実性を優先しましょう。

47 分析 その1
「外化」が足りず、なんちゃって分析に終わる

分析とは、「データを外化して、思考を深める」ことです。

「外化」とは、頭の中で行われている認知過程を観察可能な形で外に出すことを言います。分析の文脈であれば、可視化（ビジュアライゼーション）と言い換えてもよいでしょう。

新人の頃、先輩から言われてデータの可視化に挑戦し、試行錯誤の末に描き上げた図を見せながら、そこからどんな結論を導き出せるかを自信満々に語っていたら、途中で先輩がなにやらひらめいたらしく、「ありがとう。なんとなく見えてきたからもういいよ」とか言われたことがありました。若き日のわたしはイラッとしましたが、自分の描いた図が先輩の思考を深め、気づき（ここで言う気づきこそが「インサイト」です）をもたらしたのですから、ふり返って見れば十分な貢献でした。

即座に気づきをもたらすかどうかはともかく、**可視化は貴重な分析のステップ**です。利用可能性ヒューリスティックや確証バイアスをはじめとする自らの認知バイアスを意識しながら、試行

錯誤をくり返した先にやっと気づきは現れます。ちょっと描いて、すぐになにか気づいたとしたら、それは気づいた気になっているだけかもしれません。「こう解釈したいという想いが先に立って、そのために使えるデータだけを並べた図になっていないか」と自問自答しながらたくさんの外化を試すことが、上っ面のなんちゃって分析でお茶を濁すことにならないようにするための対策です。

①時系列で並べられるものを並べてみる

ユーザーの過去の経験や行動を時系列で記述し、ユーザーが目標達成に向かうまでに環境や文脈による制約で脇道にそれたり、意図せず無駄な手間をかけていたりする部分を抽出するのに活用するモデルのことを「時系列モデル」や「シーケンスモデル」と呼びます。呼び名やねらいはともかく、**現状に至るまでの経緯を把握することはどんな調査でも避けられません。**なぜならユーザーの生活は脈々とつづいていて、過去の経験やその記憶が現在やこれからの意思決定に少なからず影響をおよぼすことはまちがいないからです。

たとえば介護の実態を探る調査であれば、図1のように、要介護者が介護を必要とするようになったきっかけから、次の認定更新予定までの流れを描けます。

これを全ユーザー分つくって並べてみると、たとえば次のような傾向があることに気づきます。

図1

介護に関するインタビューデータから時系列モデルを描いた例

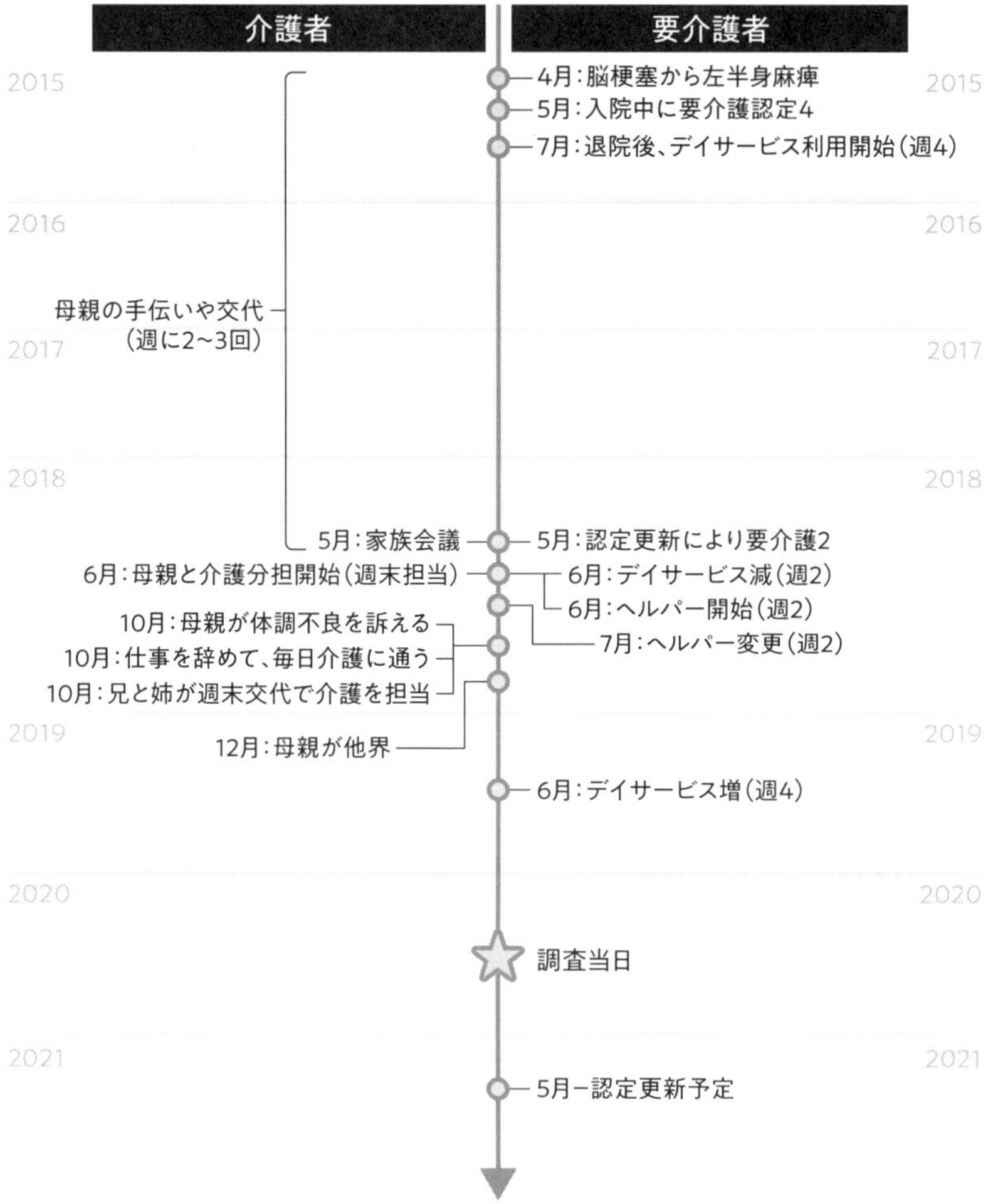

- 入院を経て要介護になる場合は、最初の介護認定を取るまでの期間が短い
- 逆に認知症をきっかけとする場合は、介護認定を取るまでの期間が長い

すると、介護認定に関する情報の取得経路はどうなっているのだろう？　と新たな疑問がわいてきて、次は情報経路についてのデータに注目して、外化してみようと考えられます。

また、図1の時系列モデルは年単位の長いスパンに注目していますが、一日の介護の流れや内容についてもインタビューしていれば、**時間軸を短く切り取って24時間に的を絞った図**も描けそうです。このように、時間軸のどの部分に注目するかによって、同じデータから複数の時系列モデルを描けることも少なくありません。ひとつ描いて満足せずに、いろいろと試してみるのを忘れないようにしましょう。

②環境とユーザーのかかわり合いを描く

環境に潜んでいる物理的な制約を特定したり、将来、環境に変更を加えるときに気をつけるべきことを見つけ出したりするために描く図は**「物理モデル」**なんて呼ばれます。

図2は、某本屋で実施した行動観察調査のデータから、ユーザーの動線と購入にいたった商品の場所を描いた物理モデルです。このユーザーは書棚の配置が頭に入っていて、動きに無駄が少ないことがわかります。また、売れ筋掲示板がユーザーの注意を引いているらしきことなども読

み取れます。

複数のユーザーの動線を重ねて見れば、デッドスペースや死角を特定しやすくなり、そこにどんな改善を施せるかを考えやすくなります。また、その場所をよく知っているユーザー群のデータと、はじめてその場所を訪れたユーザー群のデータを見比べられるようにすれば、属性ごとの傾向を探れますし、逆に似たような動線を取っているユーザーの属性データや発話を細かく分析してみれば発見につながるかもしれません。

こうして**立体的な空間を平面図に落とし込むことで俯瞰しやすくなるのは大きな利点**ですが、一方で立体空間であることを忘れてしまいそうになる短所もあります。その落とし穴にはまらないようにするには、**ユーザーが視線を向けた先（この場合は主に書棚）を写真におさめ、物理モデルと一緒に参照できるようにする**のがひとつの対策になります。

もっと気合いを入れて、レゴやダンボールなどを使って立体模型をつくり、壁や棚の高さを意識しやすくするといった工夫も効果的です。

③ユーザーが使っている「道具」を見えるようにする

ユーザーが目標を達成するために活用する道具とその使われ方を描き出した図を**「人工物モデル」**と言います。これを描くことで、満たされていない潜在的な要求を探り、新たな機能やサービスにつながるヒントを得るのがねらいです。

図2
某本屋にて実施した調査から、とあるユーザーの物理モデルを描いた例

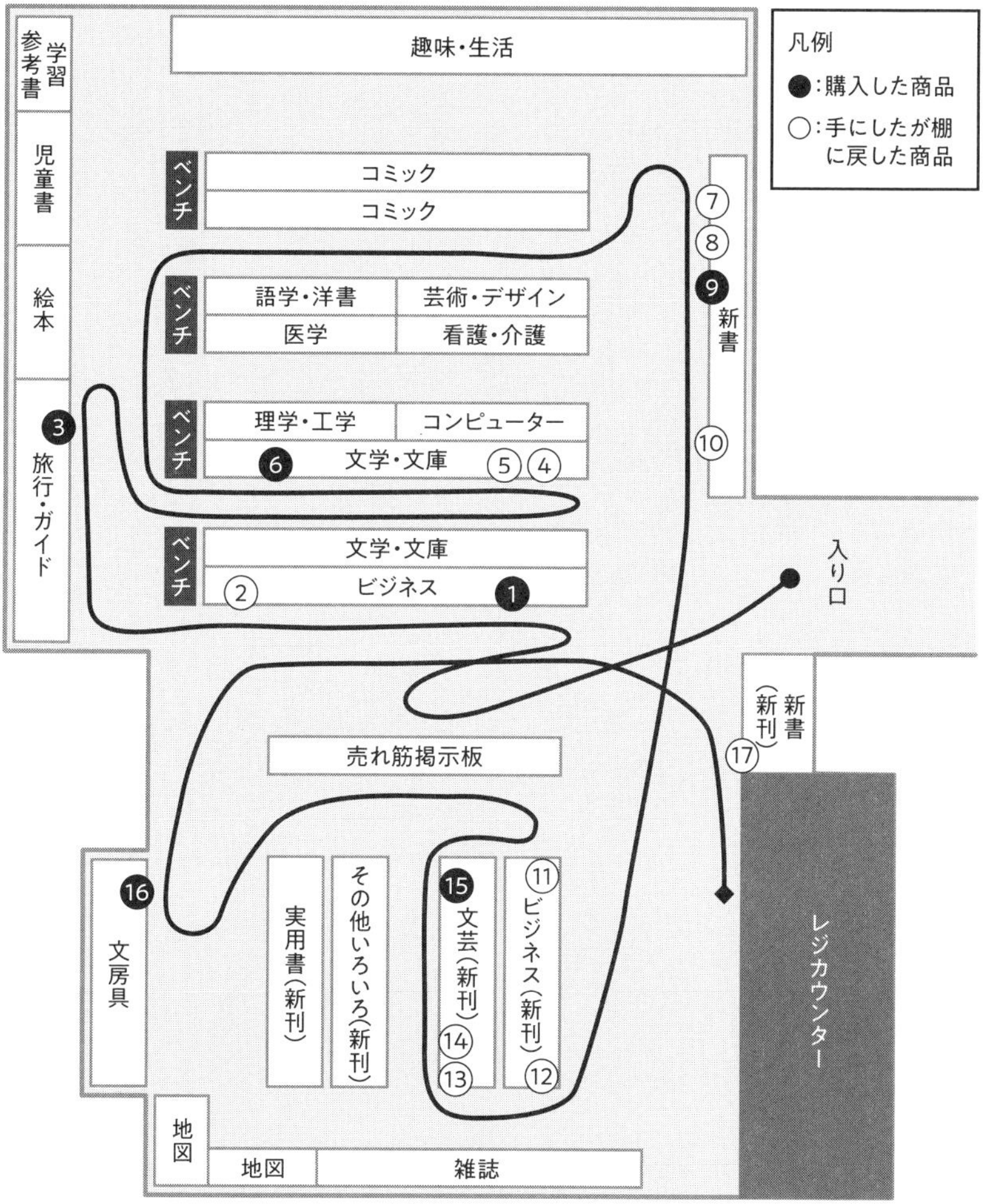

ただし、その呼び名が示すとおり実体を持つモノ以外に目が向きにくくなるのがこのモデル(というかその呼び名)の残念なところです。**ユーザーが感覚器官で受け取る情報やユーザーの頭の中にある記憶、他者とのコミュニケーションなども含めて「道具」を広く捉えるよう注意しましょう。**実体のない情報や記憶なども含めた広い意味での「道具とのインタラクション(やり取り)」を見えるようにした図という意味で、本書では**「インタラクションモデル」**と呼ぶことにします。

たとえば、某本屋で実施した行動観察調査のデータから図3のように時系列モデルを描いたとしましょう。目当ての本を探しあてて、購入するまでの流れです。**ひとつひとつのキューブが、目当ての本を見つけるためにユーザーが活用した「道具」と考えられます。**さまざまな状況や文脈での本の探し方をこうして描き出し、そこからキューブを集めて図4のようなインタラクションモデルをつくりました。

これをユーザーごとにつくり、並べて見比べれば、「ある人が活用しているコレを他の人が活用できずにいるのはなぜか?」「この道具をこちらのユーザーに持たせたらどうなるだろう?」「形はちがっても同じように機能している道具はあるだろうか?」「出現頻度の高いコレの使われ方をもっと詳しく見てみよう」といった議論のネタが手に入ります。また、本屋が提供する情報の中に、存在しているにもかかわらず見落とされ、活用されずに終わっているものがないかどうかを本屋に戻って探り直すという展開もあるかもしれません。

図3

目当ての本を探し出し、購入するまでの流れを描いた時系列モデルの例

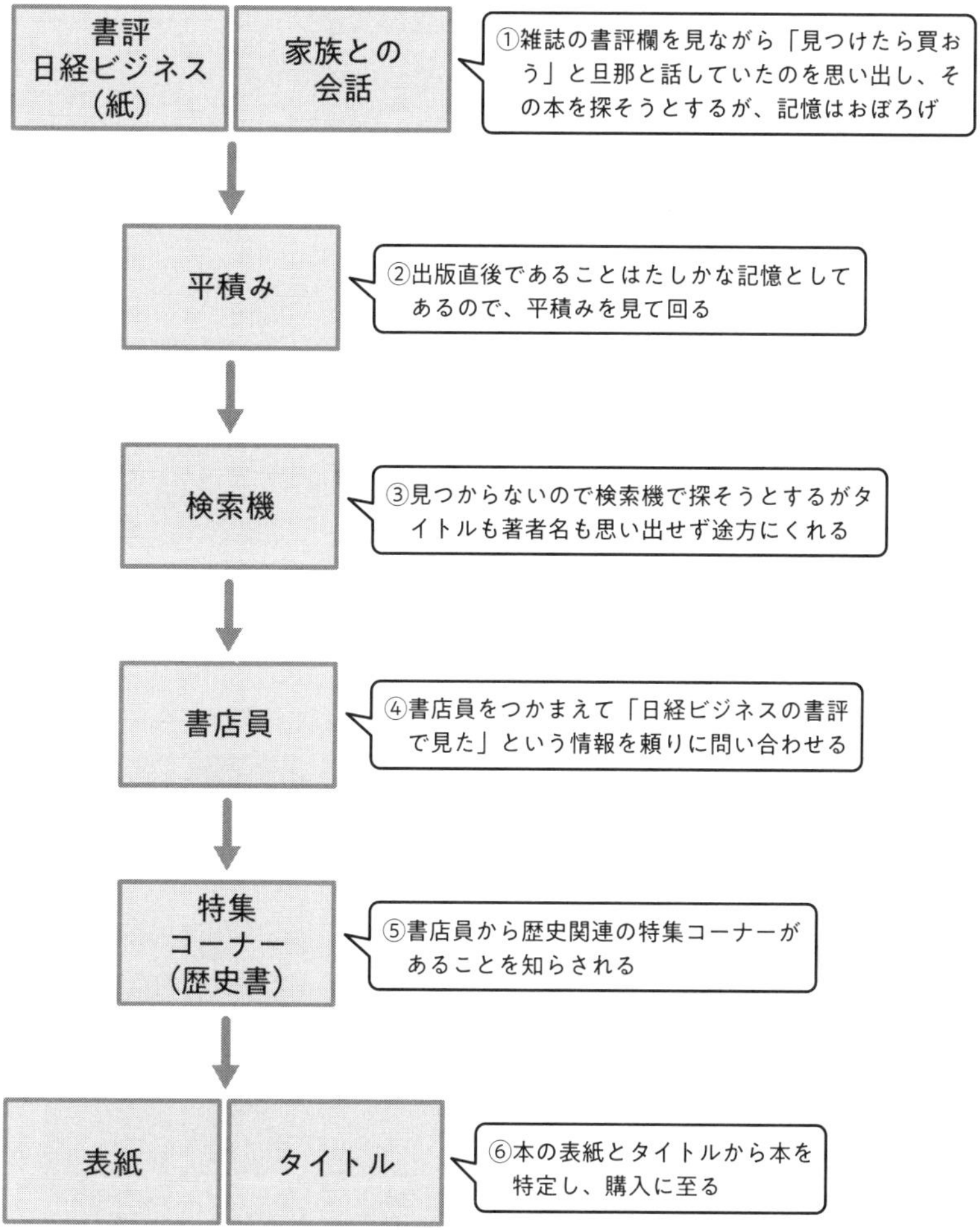
書評 日経ビジネス（紙）
家族との会話
①雑誌の書評欄を見ながら「見つけたら買おう」と旦那と話していたのを思い出し、その本を探そうとするが、記憶はおぼろげ
平積み
②出版直後であることはたしかな記憶としてあるので、平積みを見て回る
検索機
③見つからないので検索機で探そうとするがタイトルも著者名も思い出せず途方にくれる
書店員
④書店員をつかまえて「日経ビジネスの書評で見た」という情報を頼りに問い合わせる
特集コーナー（歴史書）
⑤書店員から歴史関連の特集コーナーがあることを知らされる
表紙
タイトル
⑥本の表紙とタイトルから本を特定し、購入に至る

図4

あるユーザーが本屋で活用する「道具」を可視化した インタラクションモデル（抜粋）

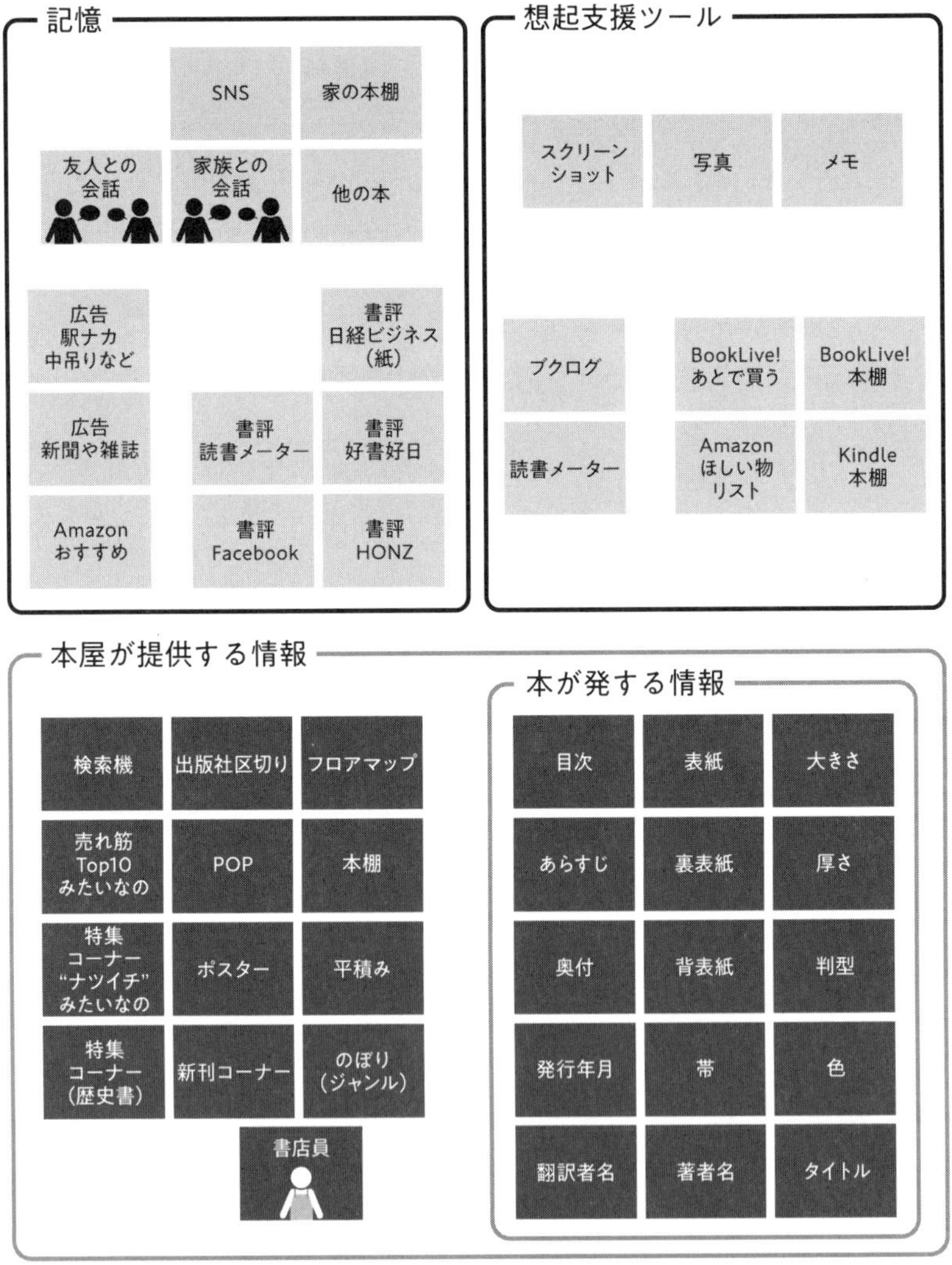

④ユーザーの行動を抜き出し、分類して意図を探る

ユーザーの行動の裏にある意図や欲求は、インタビューでは聞き切れない場合も多いです。『36「理由は自分で考えろ！」と言われてドン引き』にも書いたとおり、人はいちいち意図や理由を気にしながら行動するわけではないからです。それでも慎重に深堀りを重ねれば、行動の理由やきっかけをいくらかは聞き出せているはずです。

しかし、聞き出せた内容はユーザーの中である程度まで顕在化している内容にとどまります。そうでないと語れないからです。無意識のレベルで「本当は○○したい」とか、「自分は○○でありたい」という欲求がくすぶっていたとしても、ユーザー自身がそれに気づくところまで深堀りし、言語化させるところまで持っていくのは正直むずかしいです。そこは、データを分析してやっと気づくレベルと考えましょう。しつこいようですが、それがインサイトです。

その**インサイトを得るための分析方法**としてよく使われるのが**ＫＪ法**（ないしは**親和図法**）と呼ばれるものです。

実例から見てみましょう。図5は、すきま時間の過ごし方に関する調査で作成した親和図の、通勤にまつわる部分を抜粋したものです。

まず、発言の書き起こしから行動にまつわる部分を抜き出して文脈とともに要約し、付せんに書きます。すべてのユーザーのデータを書き終えたら、類似すると思われるものをまとめてグループをつくり、関係の近いものを近くに配置したり、関係性があると思われるものを大きな丸で

図5

行動データを抜き出して分類した親和図（抜粋）

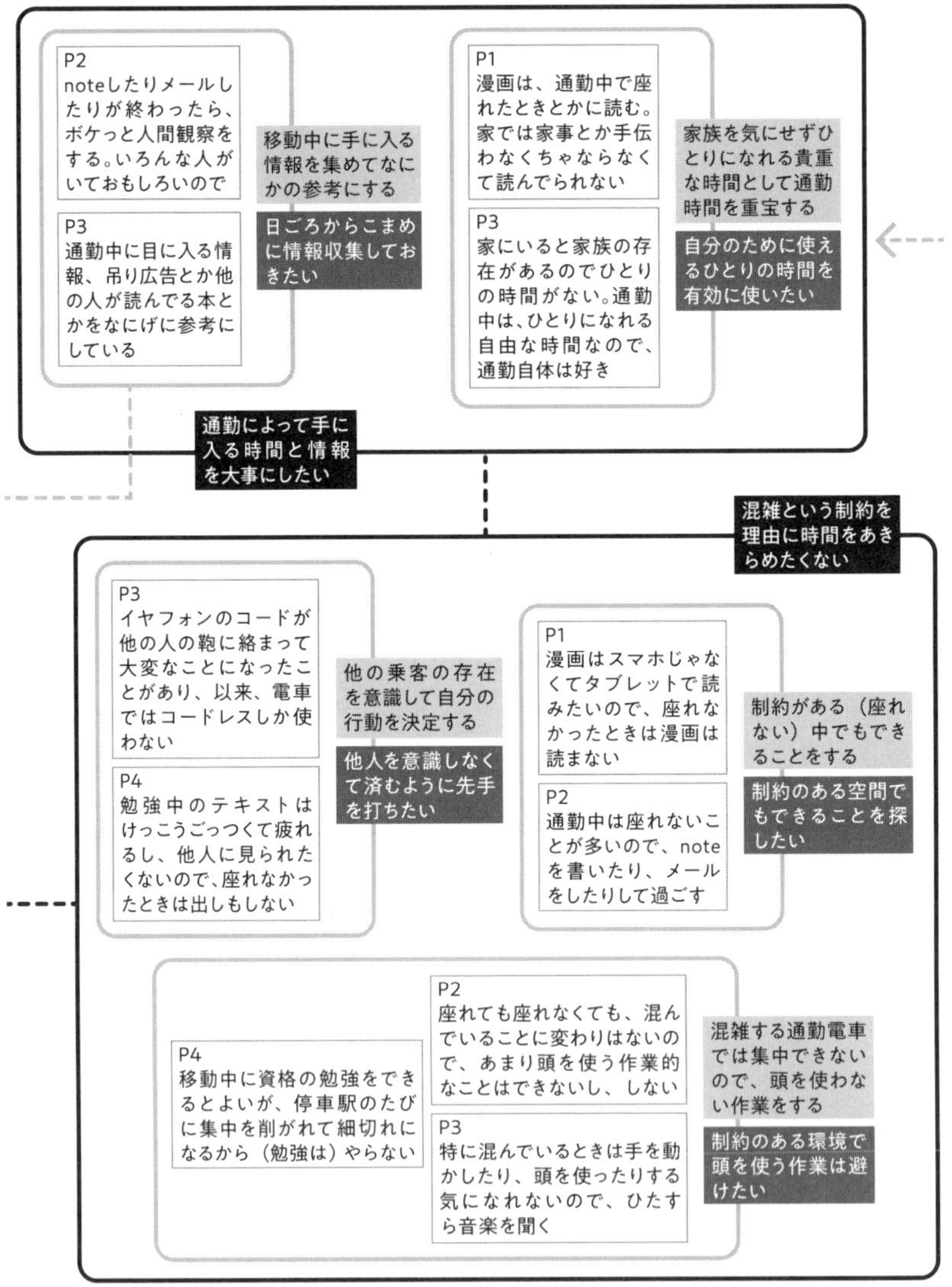
P2
noteしたりメールしたりが終わったら、ボケっと人間観察をする。いろんな人がいておもしろいので
P3
通勤中に目に入る情報、吊り広告とか他の人が読んでる本とかをなにげに参考にしている
移動中に手に入る情報を集めてなにかの参考にする
日ごろからこまめに情報収集しておきたい
P1
漫画は、通勤中で座れたときとかに読む。家では家事とか手伝わなくちゃならなくて読んでられない
P3
家にいると家族の存在があるのでひとりの時間がない。通勤中は、ひとりになれる自由な時間なので、通勤自体は好き
家族を気にせずひとりになれる貴重な時間として通勤時間を重宝する
自分のために使えるひとりの時間を有効に使いたい
通勤によって手に入る時間と情報を大事にしたい
混雑という制約を理由に時間をあきらめたくない
P3
イヤフォンのコードが他の人の鞄に絡まって大変なことになったことがあり、以来、電車ではコードレスしか使わない
P4
勉強中のテキストはけっこうごつつくて疲れるし、他人に見られたくないので、座れなかったときは出しもしない
他の乗客の存在を意識して自分の行動を決定する
他人を意識しなくて済むように先手を打ちたい
P1
漫画はスマホじゃなくてタブレットで読みたいので、座れなかったときは漫画は読まない
P2
通勤中は座れないことが多いので、noteを書いたり、メールをしたりして過ごす
制約がある（座れない）中でもできることをする
制約のある空間でもできることを探したい
P4
移動中に資格の勉強をできるとよいが、停車駅のたびに集中を削がれて細切れになるから（勉強は）やらない
P2
座れても座れなくても、混んでいることに変わりはないので、あまり頭を使う作業的なことはできないし、しない
P3
特に混んでいるときは手を動かしたり、頭を使ったりする気になれないので、ひたすら音楽を聞く
混雑する通勤電車では集中できないので、頭を使わない作業をする
制約のある環境で頭を使う作業は避けたい

囲ったりしていきます。そして、相関関係や因果関係がありそうなものは線で結びます。

次に、グループになっている付せんの内容を要約して別の色の付せんに書き、さらにその行動の裏にある意図をまた別の色の付せんに書くという具合に、徐々に階層を上げていきます（図5では、階層を一段上げるごとに付せんの色が濃くなっています）。これによって**一見バラバラの行動の裏に潜む、複数のユーザーに共通する欲求を突き止めようとするのがKJ法（親和図法）**です。

親和図を描くつもりで設計した60分のインタビューなら、100〜200の行動データを書き出せるはずです。それをセッション数分ですから、10人のユーザーにインタビューしたら1,000〜2,000枚の付せんと格闘することになります。Miroのようなオンラインホワイトボードサービスの登場で、大量の付せんやそれらを貼り出すためのドデカイ壁（と模造紙）がなくてもできるようになりましたが、ディスプレイ上では全体を見渡しにくく、壁に貼り出して行う場合よりもずっと時間がかかりますから、**壁があるなら壁を使うのがおすすめ**です。

この分析方法のいちばんのむずかしさは、日本語を端的に要約する力がないと見当ちがいでひとりよがりの分析に終わってしまう危険があるところです。これに対処するには、**決してひとりで挑まないこと**と、**休憩をしっかり取りつつ、休憩明けには担当を交代すること**です。「P1の担当は○○さん」みたいに固定せず、シャッフルをくり返すことを意識してください。とにかく大変なので、「だいたいでいいんじゃない？」という悪魔のささやきとの格闘も一度や二度では済みません。覚悟して挑んでください。

48

分析　その2

「ひとりでサクッと完ぺきな分析をできちゃう俺」という幻想に酔う

分析には時間がかかります。ユーザーとの対話や行動観察から得られるデータの量は、質の高い調査をすればするほど膨大になりますから。それをどうやって分析するかは、データと相談しながら決めたいというのが本音。前節に書いたとおり、**いろいろ試しているうちにしっくりくる分析方法が見えてきたところで「よし、これで行こう！」と判断するのが理想**です。

しかし実際には、急かされます。

「分析って何日でできます？　2～3日でお願いしたいんですけど……」

なんて言われて、「そんなん無理に決まってる！」と思いつつ、つい見栄を張って安請け合いしてしまったりするのが人間です。人には「平均以上効果」あるいは「レイク・ウォビゴン効果」と呼ばれる認知バイアスがあります。自分の実力を過大評価してしまう性質です。おまけに、能力が低かったり、経験が浅かったりすれば、より過大評価しがちな「ダニング＝クルーガー効果」というバイアスもあります。

そんな認知バイアスに負けて、「3日で終わらせてみせます！」と安請け合いした場合はおそらく、2～3日で終わるかんたんな分析方法を選ぶことになります。分析の肝とも言える試行錯誤をする余裕はほとんどないでしょう。それこそなんちゃって分析です。そんな事態を避けるためには、「安請け合いしない」というのがまずありますが、他にも次のような対策が考えられます。

①ひとりでやらない

ＫＪ法を使うなら絶対にひとりで挑んではなりません。死にます。しかし、他の方法ならひとりで大丈夫というわけでもありません。

わたし達の頭の中にある知識は正しいとはかぎらないし、期待や愛着が強ければ確証バイアスが働いて歪んだ見方や考え方が強まります。たびたび説明してきたとおり、こうした人間が持つ認知の特徴についての知識（**「メタ認知的知識」**と呼ばれます）を踏まえつつ、自らの認知状態を俯瞰し、歪みがあれば修正したり、状況に合わせて目標を変更したりすること（**「メタ認知的活動」**と呼ばれます）が調査者には求められます。これを**「メタ認知」**と呼びますが、データを分析するときにもこのメタ認知がとても大切です。**ちょっとでも油断すればメタ認知はゆるみ、認知の癖がしゃしゃり出てきて、都合よくデータを見ようとします。**その結果、ひとりよがりで説得力のない分析に終わってしまうかもしれません。

疲れてくれれば思考は凝り固まってくるし、思うように進まなければ認知的不協和が生じて逃げたくもなります。時間の圧力も徐々に増してきます。内からも外からも迫ってくるさまざまな圧力に負けず、分析を効率よく正しく進めるには、**たったひとりで背負い込まず、他者の目と頭を呼び込むのがいちばん**です。

5人も10人も集める必要はありません。1人か2人、分析に参加してくれる仲間を見つけましょう。それだけで、認知バイアスや疲労との闘いには十分効果的です。

②予定と途中経過を共有する

分析と称してなにをするのかがはっきり見えないから、2〜3日でサクッと終わるものだと誤解されてしまうのです。

こんな感じで可視化してアレコレ考えます……という**予定を事前に共有できるなら、共有してしまう**のがひとつの対策になります。ユーザー全員分の時系列モデルと物理モデルを描いて、それらを統合し、さらにKJ法で隠れたニーズを探るという手順を想定していることを知り、そのうえで「2〜3日でお願いします」と言う人は鬼です。相手が同じ人間なら、もうすこし時間をくれるはずです。

ただし、**予定は予定であり、途中で変わる可能性があることも忘れずに伝えてください**。分析をしながら、もっとこういう見方のほうがよさそうだと思ったときに軌道修正できないようでは困ります。

また、「こうやって可視化します」と宣言してしまうと、それを達成することが目標になってしまいかねません。自分の言葉や態度、行動を一貫したものに保とうとする強い欲求（『43行動を説明させたおかげで、行動が歪む』に登場した「一貫性原理」です）を抱えているのが人間ですから、途中で変わる可能性があると伝えておくことは、軌道修正の余地を残すだけでなく、認知バイアスに屈する危険を減らす助けにもなります。

変更したかどうかに関係なく、**途中で進捗を共有する**のもよい対策になります。時間いっぱい使い切ってからアレコレ言われるよりも、途中で意見してもらったほうが早めに軌道修正できますし、なにより他者の視点が加わることで自分の認知バイアスに気づく効果も期待できます。

③完ぺきを目指さない

データを可視化する分析作業は、やろうと思えばエンドレスです。数多くの見方を試すに越したことはありませんが、無限に時間をかけられるわけではないし、データを見えるようにすることが目的ではなくて、それを解釈し、発想や意思決定につなげることこそが目指すところです。

だから、**完ぺきを目指してはなりません**。これが3つ目の対策です。そして、可視化するときやできあがったものを共有するときのルールとして、次の2つを掲げてください。

- 見た目にこだわらない
- 補足や修正をしつづける

依頼主に提出したり、エライ人に見せたりするとなればガッツリ美しく仕上げなければならないと思いがちです。しかし、**追求すべきは「わかりやすさ」や「正しさ」であって、見た目の「美しさ」ではありません。**要は、見た目をキレイに仕上げるところに時間をかけすぎないこと。そして、解釈に進んだあとも、新たな気づきがあれば書き足したり、修正したりすることを前提にしましょう。

Column

分析の場数を踏むことこそが調査の質を上げる

コラム『ユーザーから「インサイト」は出てこない』(↓238ページ)で、読書の積み重ねがモデレーターの成長につながるという持論を紹介しました。ここではもうひとつ、より現実的で直接的な勉強法として、「分析」の場数を踏むことをおすすめします。

時系列モデルや親和図を描こうとすれば、「行動」をしっかり聞けていたかどうかが問われます。それでぜんぜんダメだったと気づき、冷や汗たらたらになった経験があれば、次のインタビューでの深掘りの精度はちがってくるはずです。

　行動観察をしていればさほど難なく物理モデルを描けるはずなのに、記録がうまく取れておらず、何度もビデオを見直したり、現場に戻って確認をしなければならなくなったりするのを経験すれば、しっかり記録を取りながらユーザーの視点で状況を見るにはどうすればよいかより深く考えるようになるし、力不足を自覚すればチームでの分担を視野に入れて失敗を少なくする算段を立てられるはずです。

　分析を自分で行い、足りないデータを目のあたりにして頭を抱えた経験こそが調査者としての上達につながります。

49 解釈

みんながよいというアイデアに同調してしまう

分析が完了したら、次は分析結果を解釈するために「アイディエーション」や「ワークショップ」と呼ばれる時間と場を設けます。そこで解釈から意思決定までをまとめて行ってしまう場合もあれば、切り分ける場合もあります。どちらにするかは参加するメンバーによって決めることになります。たとえばわたしのような外部の調査者が入ってアイディエーションを行うときは、意思決定を切り分けることが多いです。『4 調査チームの仕事はどこまで？』にも書いたように、社内のさまざまな制約を踏まえ、中長期的なビジネス目標も見すえて意思決定を行うために社外の人間は邪魔だからです。

外部の人間が入るかどうかはともかく、解釈や意思決定の場で気をつけなければならないのは「バンドワゴン効果」と呼ばれる認知バイアスです。

自分の仮説を支持する分析結果に気分をよくした誰かが、そのまま一気に決定まで持ち込もうと声高に語りだしたのを受けて、「たしかに」「そういう結果になってるしね」「そういう展開が妥当っぽい」と同調する人が出てきて、その盛り上がった勢いのままに開発までトントン拍子に進んだものの、結果的にユーザーの反応はいまいちで……みたいな展開はあるあるです。

「みんながよい」と言っているものを無思考、無条件で受け入れ、よいと感じてしまう認知の癖を「バンドワゴン効果」と呼びます。調査への関与が長かったり、深かったり、先の例のように強い仮説を持った確証バイアスが強めの人、あるいは単純にエライ人などから出てきたアイデアにみんなが乗っかり、多数派を形成すると、残された人はバンドワゴン効果に屈し、それに同調しておくのが無難だと無意識のうちに考え、発言を控えてしまいかねません。そんな流れを事前に食い止める策が必要です。

①次のアクションを担う人たちをかならず巻き込む

解釈や意思決定を行うときに注意が必要な認知バイアスはバンドワゴン効果だけではありません。自己中心性バイアスや確証バイアスにも備えるべく、次のような人たちを解釈の場に巻き込みます。

- 調査の結果をうけて実際に手を動かすことになるデザイナーやエンジニア
- お金を出す、出さないの判断をする経営陣
- 最終的な成果物を売ることになるマーケティングや営業の担当者

調査を観察に来てくれた人に限定することなく、**むしろ積極的に「調査を見ていない人」も呼び込んでください**。真っ新な目で分析結果を見られる人が混ざれば、認知バイアスへの対抗措置として心強いです。

中でも特に重要なのは、調査の結果をうけて**実際に手を動かすことになるデザイナーやエンジニア**です。腑に落ちない結論であろうと反論の機会がなく、納得のいかないものづくりを進めるのは苦痛にちがいありません。それでは200%の力を注ぎ込むようなものづくりにはならず、結果は自分が思ったとおりに不評となり、「それみたことか……」と。「やっぱり調査なんか無意味だった」「分析があまかった」「解釈がいまいちだった」と矛先を自分がかかわらなかったところに向けて、言い逃れをする道が完成します。認知的不協和を回避する余地を残さないためにも、結果を受けてアクションを取る人を巻き込むのは必須です。

②調査への関与が高すぎない人をファシリテーターにする

ユーザーと直に接したモデレーターやデータの外化をゴリゴリ進めてきた人は、調査の結果に対する理解が深いことを理由に解釈の場のファシリテーターを任されがちです。でも、バンドワゴン効果の引き金を引く可能性が高いのが困りものです。できれば**ファシリテーターは、もうすこし調査と距離のある人にお願いしましょう**。

とは言え、その場でいきなり役割をふるのはかわいそうですし、誰も引き受けてくれなかったら困るので、事前に取り決めておくのが安心です。

③全員が等しく意見を言える時間をつくってから議論に進む

いきなり議論をはじめると、調査の結果をよく知る人の発言が多くなり、前に出がちです。これを避けるには、**可視化されたデータを見て、考えたことや閃いたことを各自がもくもくと付せんに書き出す時間を設け、全員分が出そろってから議論の時間へ進むといった段取りが大切になります。**

数や内容にこだわらず、気づいたことをどんどん書き出す時間は個々人の作業としてまずやってもらうのがポイントです。書いたそばから貼り出していくようにすると、他の人が書いたものを見てしまい、それが考えに影響してしまいますから（悪く言えばカンニングです）。

④出てきたアイデアのネガティブチェックを各自で行い、持ち寄る

どんなアイデアが出てきても批判したり、否定したりしないというブレインストーミングのルールを守ることは、アイデアを発想し、共有する段階ではとても大切なことです。しかし、出てきたアイデアの批判や否定をまったくしないわけにはいきません。次のような問いに正面からぶつかっていく時間は絶対に必要です。

●このアイデアがユーザーの抱える課題を本当の意味で解決するのか？
●もっとよいアイデアを見逃していないか？
●このアイデアを実現したときに他所におよぶ副作用や悪影響はないか？
●そもそもそのアイデアは実現可能なのか？
●競争上の優位性はあるか？

批判や否定をＮＧとしてきた場で、いきなりネガティブチェックに移るのは慣れないとキツイです。少なくとも休憩をはさみたい。**できるならば別の日に集まりなおすことにして、出てきたアイデアのネガティブチェックを個々人で行うことを宿題にしてください**。後日それを持ち寄って、いよいよ最終的な意思決定へ向けての議論を行うという流れが理想です。

50 ふり返り 「調査の意味がなかった」で終わってしまう

じっくり時間をかけて調査結果を分析し、たくさんの関係者を巻き込んでアイディエーションを行った。それでも１００％の自信を持てるアイデアが出てこなかったり、仮説の裏付けを取れなかったりすること、なくはありません。そんなときは、認知的不協和に負けずに「結論を出せなかった」とか、「今回の調査で言えることはここまでです」と報告せざるを得ず、すこしキツイです。

そして、次のように返されたときは泣きそうになりました。

「ユーザー調査って、やっぱりあんまり意味ないみたいだね……」

結論が妥当であれば、そこにたどり着くまでの議論や過程までもが正しいと誤認する「信念バイアス」と呼ばれる思考の癖を人は持っています。これは逆に、**結果がよくなければ過程までもが否定されることを意味します**。一発で結果を出せなかったユーザー調査が、ものづくりのプロセスに「ユーザー調査」を組み込むこと自体を否定する流れにもなり得る、というコワイ話です。

今回うまく行ったからと言って、その過程に改善の余地がまったくないわけでもなければ、今回失敗したからと言って、過程のすべてがダメだったというわけではありません。信念バイアスに押し流されてかんたんに白黒をつけてしまうことなく、**毎回きっちりふり返ることが、ユーザー調査の精度を上げていくためには欠かせません。**対策としてふり返りの視点をまとめます。

①調査の目的に迷いやブレはなかったか

ユーザー調査に対して懐疑的な人が意思決定をする立場にいる場合、その価値をきっちり伝えたいという意気込みから、**そもそもの目的にたいそうなことを書き並べてしまった**可能性があります。ユーザー調査の意義がまだ社内に浸透していない段階では、小規模の調査で結果を出し、実績を積み重ねていくのが理想ですが、つい気張ってしまった……みたいな。

そんな可能性も視野に入れて、まず調査の目的を次の3つの視点でふり返ります。

- そもそもの目的設定は適切だったか
- 設定した目的は必要かつ十分なものだったか
- 目的が途中で変容した可能性はないか。あるとすればどんな要因が考えられ、どうすればそれ

を排除できそうか

②別の方法で調査を実施したらデータはどう変わるか

ユーザーがどんな環境や文脈で、どんな行動を取るのか、そして、その前後でどんな感情を持つのかを探るのがユーザー調査の骨子です。その方法として、

- ●手法を組み合わせて補い合うことを考えたか
- ●ユーザーの言語報告だけに頼らず、行動を見る方法も検討したか
- ●なにも考えずにグルインを選んでしまわなかったか

といったあたりをふり返りましょう。そして、手法を変えて実施したときに、

- ●今回の調査で手に入れそこねたデータで手に入れられそうなもの
- ●逆に手に入らなくなりそうなもの

を想像し、どの手法（あるいは組み合わせ）が理想的な手法となり得たのかを考えます。

③問題は人数か、それとも募集の条件か

ユーザーの協力なくしてユーザー調査は成立しません。しかし、誰でもよいというわけでもない。リクルーティング会社に依頼するにしろ、縁を頼って自力で集めるにしろ、理想的なユーザーを必要な人数だけ集めて、しかも約束どおりに協力してもらうところまでフォローするのは大変だし、時間もかかります。

ですが、集めるときの配慮を怠れば、好ましくないユーザーが紛れ込む可能性も上がります。今回の反省から、次回、調査のクオリティを上げるために必要なのはどれでしょうか？

1. 不適切なユーザーが紛れ込むのを防ぐこと
2. 必要な人数のユーザーを集めること
3. 集めたユーザーに約束どおりに来てもらうこと

1なら、**募集条件の見直しとスクリーナーの向上**が必要です。

2の場合、**必要な人数を集められなかった原因をまず確認**です。募集条件が厳しすぎて集まらなかったのなら、条件の見直しをすることになりますが、リクルーティング会社が持っているパネル（登録しているモニターの集合のこと）が条件に合っていなかった可能性もあります。その場合は別のリクルーティング会社を使うことで改善できるかもしれませんが、どこのリクルーテ

ィング会社が持っているパネルも似たり寄ったりだとすれば、リクルーティング会社に頼らず機縁法で集めるという決断が必要になるでしょう。

3だとしたら、当日になって約束どおりに来てくれなかったユーザーがいるということですから、コラム『ノーショウやドタキャンを阻止する手立て』（↓124ページ）で紹介した**前日の電話確認に抜かりがなかったかどうか**を確認です。また、『17　調査慣れしたユーザーを省くには……』の対策として、「望ましくないユーザー」をリクルーティング会社に報告することを挙げましたが、これと同じで、**ノーショウやドタキャンをしたユーザーはかならず報告**しましょう。そういうリスクのあるユーザーだということを記録して、パネルの質を上げてもらいます。どう対策しても、次に呼ぶユーザーがかならず来てくれるという保障にはなりませんが、パネルの質をすこしずつ上げていくことが、長い目で見れば対策になるはずです。

④準備の手抜かりは物理的な制約か、それとも気持ちの問題か

本番に先立つ準備や稽古が事の成否を分けるのは、ユーザー調査にかぎった話ではありません。昔から「段取り八分」と言うくらいです。

ユーザーと対峙したときに緊張で思うようにならない……みたいな最悪の展開を避けるべく、調査テーマに関する予習をし、リサーチガイドをつくり込んで、リハーサルを行いましたか？　行動観察をするなら、下見もバッチリ行ったでしょうか？　**不安の種になるものは事前につぶし**

ておきましょう。

また、当日ユーザーと共有するドキュメントはわかりやすくつくって、ユーザーに余計な負担をかけないよう配慮したでしょうか？

準備が大切になることは社会人なら誰もがわかっているはずです。それでも準備を怠ったのなら、その理由があるはずです。考えられるのは次の２つでしょうか。

- 時間や予算など物理的な制約
- 怠け心や過信など自分の気持ちの問題

前者であれば、次は余裕を持って計画を立てて、予算を通し、根回しをすれば回避できそうです。後者の改善は一朝一夕にはむずかしいですが、認知的不協和に負けず、ここでそれを認められれば、次は変われるはずです。

⑤録音を聞き、自分のモデレーションを客観的に見る

ユーザーとの対話ははずんだでしょうか？「アンケートでもよかったんじゃないの？」と思うような淡白な質疑応答に終わりはしなかったでしょうか？そうならないように、しっかりラポールを築き、終始それを壊さないように調査を進行できたでしょうか？

人間の持つ認知の癖を意識して、歪みのない言動を引き出せましたか？　調査の目的を達成するために必要なデータを深く広く集められたでしょうか？

理想的なモデレーションをできたと自信を持って言えないならば、録音を聞き直して、自分の得手不得手や無自覚の癖を客観的に見直しましょう。

誘導してしまっていると感じられる部分は、どう聞けばそれを避けられたかを、余談が過ぎるところでは、ラポールを損なわずに相手の話をさえぎり、本筋に話題を戻すにはどんな作戦が取れたかを自分なりに想像します。

相手によって、うまくできる場合とうまくいかない場合とがあるかもしれません。日ごろの対人関係と同じで、反りが合うユーザー、合わないユーザーはいます。対峙するまでどんな人が来るかわからないのがユーザー調査ですから、苦手なタイプも避けられません。合わない人が相手でもうまくできるようになるために、苦手と感じたユーザーへのインタビューこそ聞き直しましょう。

⑥結論を待ってもらえるなら分析と解釈に再挑戦する

信用できるデータをさまざまな形で外化しましたか？　そのとき、偏った見方にならないよう注意したでしょうか？

たくさんの人を巻き込んで解釈をする時間を取りましたか？　声の大きな人や調査へのかかわ

りが深い人の意見に全員が引っ張られることのないように、タイミングを区切ったり、ファシリテーターを準備したりしたでしょうか？

もし失敗の要因がここにあると思うのならば、まだ取り返せるかもしれません。結論をもうすこし待ってもらえるなら、**データの見方を増やしたり、メンバーを変えて解釈に挑み直したりしてみましょう。**

⑦プロジェクトマネージャーに全体の俯瞰とコミュニケーションを任せる

①〜⑥はユーザー調査の枠組みと段取りに特有の視点でしたが、「プロジェクト」に付きものの次の課題が失敗の要因となったことも考えられます。

- 時間の見積もりがあまかった
- 予算の見積もりがあまかった
- 内輪のコミュニケーションで失敗した
- 全体を通してマネージメントがイマイチだった

時間と予算の問題は、ひととおり調査を経験したことで次からは見通しを立てやすくなるはずです。しかし、**慣れの分を見越して時間を極端に少なく見積もるのは避けましょう。**調査を実施する側がどんなに慣れても、ユーザーという「人」が介在する以上、突発的な事態を完全になくすることはできません。余裕を見ておくのは大事です。

時間も予算も内輪のコミュニケーションも一手に引き受けてくれるプロジェクトマネージャーがいてくれれば、モデレーターは調査に集中できます。そうした**チームづくりを見直してみる**のも成功へとつなげる対策になります。

あとがき

思えば数々の失敗がありました。それを乗り越えられたのは、自分ひとりの力ではありません。

お詫びをするために依頼主の元へ足を運び、一緒に頭を下げてくれたかつての上司や先輩。失敗を取り戻すべくともに奮闘してくれた仲間。失敗を認めたくなくて逃げそうになっているわたしをなだめ、なぐさめ、鼓舞してくれた家族。そして、これらの失敗を（怒りつつも）受け止め、打開策を見いだすべく知恵を絞り、協力してくれた依頼主の方々など、多くの人たちの支えがあってここまでやってこられました。

本書を上梓することで、同じ轍を踏み、頭を抱える人がひとりでも減れば、皆さんへの恩返しになると信じています。

この仕事をはじめた当初は、ひたすら場数を踏むしかないと思い込んで連日調査に明け暮れていました。ふり返る時間も取らず、週末も返上してがむしゃらに働きながら悶々とする毎日。**そんなときに出会ったのが認知科学です。**

調査をこなしながら人の認知の働きや性質を勉強していくことで、**失敗の多くが認知の歪みに起因していることを思い知りました。人の認知特性を知れば、ユーザーの言動の裏にある真意を推し量りやすくなること、調査にかかわる人たちが陥りやすい認知バイアスを踏まえて現場に臨めば、失敗を少なくできることなどもわかってきました。**認知科学の探求は、調査者としての成長に不可欠だったと今なら自信を持って言えます。

その過程で触れてきた論文や書籍はすべからくわたしの糧になっています。調査に先立って関連書籍に目を通す予習も大事ですが、コラムにも書いたとおり、日ごろからコツコツと積み重ねておくことに勝る準備はありません。本書をきっかけに、ユーザー調査のみならず認知科学に対しても関心を持ち、参考書籍を読み漁る読者が増えるとうれしいです。ここでは今まで読んできた本の中から、よりすぐりの4冊を紹介します。

●ロバート・B・チャルディーニ『影響力の武器　なぜ、人は動かされるのか』社会行動研究会訳、誠信書房、1991年

社会生活を営むわたし達の日常的な行動が、心理学の基本的な原理に支配されている事実。それを、参与観察を中心とする研究手法によりつまびらかにしてくれた名著です。アメリカで初版が発行された1985年から今に至るまで、わたし達の心に影響をおよぼす原理原則には変わりがないことがわかります。

●T．ギロビッチ『人間この信じやすきもの』守一雄／守秀子訳、新曜社、1993年

21世紀になって間もない頃、大和証券グループのCMで「人は思い込みにより事実を正確に捉えていないことがある」という刺さる台詞を聞かせてくれたのがこの本の著者です。「事実を信じ、予測は疑え」という彼の言葉は、ユーザーと向き合い、データを読み込むときに不可欠な心構えのひとつです。

●ダニエル・カーネマン『ファスト&スロー　あなたの意思はどのように決まるか？』村井章子訳、早川書房、2012年

人間の脳が自動的に行う直感的解決の探索（システム1による速い思考）と、より時間をかけて頭を使う熟慮熟考（システム2による遅い思考）とがどのように相互作用するのかがまとめられた一冊。亡き共同研究者エイモス・トヴェルスキーとともに積み重ねてきた研究成果を踏まえていて、読み応えがあります。

●デイヴィッド・ブルックス『あなたの人生の科学』夏目大訳、早川書房、2015年

先の3冊は、科学者たちが研究成果をまとめた専門書の部類ですが、こちらはすこし仕立てがちがいます。人が幸福な人生を送るために「無意識」の領域がいかに重要な役割を果たすのか。それを一般の読者にもわかりやすく伝えるために、この著者が苦心の末にたどり着いたのが「あ

る夫婦の物語」という形式でした。堅苦しい専門書は苦手……という方におすすめです。

最後に。本書執筆の序盤、未熟すぎる著者に対して、微笑みながらも厳しくグサッと鋭い指摘をし続けてくださった傳 智之さん。後半になってバトンを受け取り、知識の呪いにかかっていない読者の代表として素朴な疑問をぶつけてくださった石井亮輔さん。おふたりのおかげで、ユーザー調査初心者にもわかりやすい仕上がりになったことは間違いありません。最後まで見捨てずに引っ張ってくださり、ありがとうございました。

2021年3月　奥泉直子

た行

な行

は行

ま行

や行

ら行

わ行

索引

英字

あ行

か行

さ行

著者プロフィール

奥泉直子（おくいずみ・なおこ）

ものづくりの上流で人びとのニーズを探るユーザー調査の専門家。フリーランス歴17年。業界や国内外を問わず、さまざまな商品やサービスの開発や改善を目指すプロジェクトに従事する。また、人間の認知特性を踏まえて調査に臨むことの意義とそのためのノウハウを伝える講義やセミナーの講師を務め、後輩の育成と指導にも積極的に関わる。

ブックデザイン　荒井雅美（トモエキコウ）
レイアウト　BUCH+
編集　石井亮輔

お問い合わせについて

本書の内容に関するご質問は、FAXか書面、弊社お問い合わせフォームにて受け付けております。電話によるご質問、および本書に記載されている内容以外の事柄に関するご質問にはお答えできかねます。あらかじめご了承ください。なお、記載いただいた個人情報はご質問の返答後は速やかに破棄させていただきます。

〒162-0846　東京都新宿区市谷左内町21-13
株式会社技術評論社　書籍編集部
『ユーザーの「心の声」を聴く技術　～ユーザー調査に潜む50の落とし穴とその対策』質問係
FAX番号　03-3513-6183
お問い合わせフォーム　https://book.gihyo.jp/116

ユーザーの「心《こころ》の声《こえ》」を聴《き》く技術《ぎじゅつ》
ユーザー調査《ちょうさ》に潜《ひそ》む50の落《お》とし穴《あな》とその対策《たいさく》

2021年4月30日　初版　第1刷発行

著者　奥泉《おくいずみ》 直子《なおこ》
発行者　片岡　巌
発行所　株式会社技術評論社
東京都新宿区市谷左内町21-13
電話　03-3513-6150　販売促進部
03-3513-6166　書籍編集部
印刷／製本　日経印刷株式会社

定価はカバーに表示してあります。

ISBN978-4-297-11995-9 C0034

Printed in Japan